SOMM KU-350-043

Sommaire

Sommaire

Abréviations utilisées dans l'ouvrage	
adj.	adjectif
C.C.	complément circonstanciel
C.O.	complément d'objet
C.O.D.	complément d'objet direct
C.O.I.	complément d'objet indirect
C.O.S.	complément d'objet second
cond.	conditionnel
fém.	féminin
imparf.	imparfait
impér.	impératif
ind.	indicatif
inf.	infinitif
masc.	masculin
part.	participe
pers.	personnel
plur.	pluriel
prés.	présent
princip.	principale
prop.	proposition
sing.	singulier
sub.	subordonnée
subj.	subjonctif
*	phrase grammaticalement incorrecte

Conjugaison

avec la collaboration de

Yann Le Lay,
agrégé de lettres classiques

LAROUSSE

21, rue du Montparnasse 75283 Paris Cedex 06

© Éditions LAROUSSE 2009

ISBN 978-2-03-584168-1

LES DIFFÉRENTES CATÉGORIES DE VERBES

■ Le verbe est un mot de forme variable qui constitue, avec le nom ou le pronom, l'un des éléments fondamentaux de la plupart des phrases.

■ Il donne des informations sur le sujet de la phrase, que celui-ci soit un être animé, un objet, une idée... et permet de répondre à ce type de questions :
– Que fait le sujet ?
– Qui est-il ?
– Que ressent-il ?

■ Les différentes formes que peut prendre le verbe ajoutent des précisions, par exemple sur l'époque à laquelle se situe une action, sur sa durée, etc.

1 VERBES D'ACTION, D'ÉTAT ET PRONOMINAUX

1 Les verbes d'action

■ La grande majorité des verbes sont des verbes dits **d'action** ; ils expriment **une action que réalise ou que subit le sujet du verbe** :

Demain, <u>je</u> <u>**prendrai**</u> rendez-vous chez le garagiste
      sujet   verbe
    qui agit d'action

et, dans une semaine, <u>**la voiture**</u> <u>**sera réparée**</u>.
                    sujet   verbe
            qui subit l'action   d'action

2 Les verbes d'état

■ Les verbes **d'état** indiquent **sous quelle apparence se présente le sujet, à quoi il ressemble, qui il est**. Cet état s'exprime par un nom ou un adjectif appelé **attribut du sujet** :

<u>Elle</u> <u>**paraissait**</u> <u>**heureuse**</u> de me voir.
sujet verbe d'état attribut du sujet

▶ Au sens strict, il s'agit des verbes :

être	**devenir**
paraître	**rester**
sembler	**demeurer** (au sens de « rester dans le même état »
ressembler à	et non au sens d'« habiter »),
avoir l'air (de)	**s'appeler**
passer pour	**se nommer**

▶ D'autres verbes (habituellement des verbes d'action) peuvent exprimer l'état ; **ils sont alors accompagnés d'un attribut du sujet :**

vivre	Jeanne a vécu **heureuse**
tomber	Le héros tombe **mort**
se trouver	Je me trouve **beau**
se faire	Les écrevisses se font **rares**
partir	Je suis partie **confiante**
revenir	Je suis revenu **déçu**.

❸ Les verbes pronominaux

■ Un verbe pronominal est toujours accompagné d'un **pronom personnel réfléchi** (qui renvoie au sujet) placé après le sujet :

Je   me souviens très bien de vous ; *Je* ne *me* rappelle plus rien.

sujet pronom   sujet pronom

‾   réfléchi   ‾   réfléchi

Sans ce pronom, des verbes comme *se souvenir, s'emparer de, s'écrouler, s'enfuir, se repentir...* n'auraient aucun sens.

■ Ces verbes ne peuvent être mis ni à la voix active ni à la voix passive *(voir fiche 6)*. Ils sont appelés **essentiellement pronominaux** ; le pronom personnel réfléchi n'y a pas de signification particulière.

> **REMARQUE** Pour de nombreux verbes, la voix pronominale est une des trois voix possibles de la conjugaison, avec la voix active et la voix passive *(voir fiche 6)*.

② AUXILIAIRES ET SEMI-AUXILIAIRES

> **L'auxiliaire est un verbe qui sert à conjuguer un autre verbe, à certains modes, à certains temps et à certaines voix** *(voir fiche 6)* **: il aide à construire certaines formes verbales et, dans ce cas, il perd son sens.**

Les auxiliaires **être** ou **avoir** sont les plus courants. Par exemple, on forme l'indicatif plus-que-parfait actif à l'aide de l'auxiliaire **être** ou **avoir** (selon les verbes) conjugué à l'imparfait actif et du participe passé du verbe que l'on veut conjuguer :

J'<u>avais</u>   <u>chanté</u> ; J'<u>étais</u>   <u>partie</u>.
    auxiliaire   part.   auxiliaire   part.
                   passé   passé

REMARQUE Il arrive que **être** et **avoir** ne soient pas des auxiliaires :
> *Je suis* (verbe d'état) *votre nouveau professeur de piano.*
> *J'ai* (verbe d'action signifiant « je possède ») *ce livre chez moi.*

❶ L'auxiliaire *avoir*

Il s'emploie pour conjuguer la plupart des verbes aux temps composés de la voix active, sauf quelques-uns qui se conjuguent avec **être** *(voir ci-dessous)* :
> *J'ai lu* (verbe *lire* au passé composé).

❷ L'auxiliaire *être*

Il s'emploie pour conjuguer certains verbes et pour construire certaines formes.

■ Quelques verbes construisent leurs temps composés de la voix active avec **être** :

▶ **les verbes qui indiquent l'état ou la position** où l'on se trouve : *demeurer* (quand il ne signifie pas « habiter »), *rester* :
> *Elle est restée calme* (verbe *rester* au passé composé) ;

▶ **les verbes qui indiquent un changement d'état ou un déplacement** dans l'espace : *devenir, naître, mourir, tomber, monter, descendre,* etc. :
> *Il est né hier* (verbe *naître* au passé composé).

ATTENTION Quand un verbe de déplacement est accompagné d'un complément d'objet direct, on emploie l'auxiliaire **avoir** ; on dit ainsi :

Je **suis** *descendue* **chez la voisine** ;   *J'***ai** *descendu* **la poubelle**.
    auxiliaire   complément   auxiliaire   complément
    être   circonstanciel   **avoir**   d'objet
                        de lieu   direct

4

LES DIFFÉRENTES CATÉGORIES DE VERBES

■ **Tous les verbes conjugués à la voix pronominale** construisent leurs temps composés avec **être** :

> Je me **suis** blessée (passé composé du verbe *blesser* conjugué à la voix pronominale).

■ **Tous les verbes à tous les temps de la voix passive** ont leurs formes construites avec **être** :

> Je **suis** soignée (présent) ;
>
> J'**ai été** soignée (passé composé du verbe *soigner* conjugué à la voix passive).

③ Les semi-auxiliaires

■ Certains verbes ne jouent qu'**occasionnellement** le rôle d'auxiliaires. Dans ce cas, ils sont **toujours suivis d'un verbe à l'infinitif** ; ce sont :

▷ **aller, être sur le point de** (cette expression en plusieurs mots s'appelle une «périphrase verbale»), qui servent à former le futur proche :

> Le facteur **va** passer d'une minute à l'autre ;
>
> L'orage **est sur le point d'**éclater ;

▷ **venir de**, employé pour indiquer un passé récent :

> Nous **venons de** manger ;

▷ **pouvoir, devoir, avoir à**, qui n'indiquent pas qu'une action a (a eu ou aura) lieu à un moment précis, mais simplement qu'elle est possible, probable, nécessaire, obligatoire... On les appelle « auxiliaires modaux » :

> Le facteur **doit** passer d'un moment à l'autre (probabilité) ;
>
> L'orage **peut** éclater (possibilité) ;
>
> J'**ai à** apprendre une leçon (obligation) ;

▷ **se mettre à, être en train de**, qu'on appelle «auxiliaires d'aspect» (*voir fiche 17)* et qui expriment :

– qu'une action en est à son début : *Ils **se sont mis à** rire* ;

– qu'une action est en cours : *Elle **est en train de** lire.*

❶ Les verbes transitifs

■ **Un verbe est transitif quand il se construit avec un complément d'objet (C.O.) direct ou indirect**.

▶ un verbe est **transitif direct** si son complément d'objet est direct (C.O.D.) :

Je **vois** **Laurence**.
$\underline{}$ $\underline{}$
verbe   C.O.D.
transitif direct

▶ il est dit **transitif indirect** si ce complément d'objet est indirect (C.O.I.), c'est-à-dire précédé d'une préposition :

Je **pense** **à** **Laurence**.
$\underline{}$ préposition $\underline{}$
verbe   C.O.I.
transitif
indirect

ATTENTION **Un verbe transitif peut ne pas être suivi d'un complément d'objet.**

Dans la conversation, par exemple, le C.O.D. n'est pas toujours exprimé (échanges rapides ou familiers, réponses à des questions, etc.) :

Désolé, j'ai déjà donné (= j'ai déjà donné de l'argent à un autre démarcheur) ;

La société Dupont ? Oui, je connais (= je la connais).

On dit alors que ces verbes sont employés **absolument**.

REMARQUE **Deux verbes** (ou plus) **ne peuvent être suivis d'un ou de plusieurs compléments communs que s'ils ont la même construction** (soit directe, soit indirecte). Il vaut mieux aussi (sauf volonté de produire un effet de style, un jeu de mots) que ces compléments soient des mots ou groupes de mots de même nature.

Il y aurait rupture de construction (anacoluthe) si cette règle n'était pas respectée.

Ainsi, on ne peut écrire :

*Elle a apporté puis joué avec sa nouvelle poupée, car le verbe **apporter** est transitif direct (il doit être accompagné d'un C.O.D.) tandis que **jouer** est ici transitif indirect (il doit être suivi de la préposition **avec** et d'un C.O.I.). Il faut donc écrire :

Elle a apporté sa nouvelle poupée puis a joué avec elle (*elle*, pronom personnel, représente *sa nouvelle poupée*).

❷ Les verbes intransitifs

■ **Un verbe est intransitif quand il est construit sans complément d'objet :**

> *Nous marchons* (pas de complément) ; *Nous marchons dans la forêt* (un C.C. de lieu mais pas de C.O.).

ATTENTION Un même verbe peut, selon ses emplois, être tour à tour transitif direct, transitif indirect ou intransitif. Il change souvent de sens en changeant de construction :

construction	= verbe suivi de...	exemple
verbe transitif direct	C.O.D.	*Je joue ma vie* (= je risque...).
verbe transitif indirect	C.O.I.	*Je joue du violon.*
verbe intransitif	pas de C.O.	*Les enfants jouent.*

❶ Les verbes impersonnels

■ **Un verbe impersonnel** (on dit aussi «unipersonnel») est un verbe **conjugué à la 3ᵉ personne du singulier** et dont **le pronom sujet *il* ne représente aucune réalité**. On trouve sous la forme impersonnelle :

▶ **des verbes ou des périphrases verbales** exprimant **des phénomènes météorologiques :** *il neige, il pleut, il vente, il tonne, il fait beau, il fait nuit...* ;

▶ **des verbes ou des locutions verbales** exprimant **la nécessité** : *il faut, il est nécessaire de, il est impératif de...* ;

▶ **des tournures présentatives** : *il y a (il y avait...), il est (il était...)* :
   Il est huit heures ; Il était une fois un roi et une reine... ;

▶ **des verbes d'action** accidentellement **construits de manière impersonnelle**, aux voix active, pronominale ou passive : *il manque, il reste, il vaut mieux, il se passe, il se produit, il se vend, il est décidé...*

Dans ce cas, comme avec *il y a* ou *il est nécessaire*, la phrase impersonnelle peut être transformée en phrase personnelle :
   Il manque des outils dans la boîte → Des outils manquent dans la boîte ;
   Il se vend 30 000 exemplaires de ce modèle chaque année
   → 30 000 exemplaires de ce modèle se vendent chaque année ;
   Il est pris une mesure en votre faveur
   → Une mesure est prise en votre faveur.

REMARQUE Le sujet *il* d'un verbe impersonnel est appelé **sujet grammatical** ou **sujet apparent** ; le verbe est quelquefois suivi d'un autre sujet, le sujet logique (ou sujet réel), qui représente l'agent réel de l'action exprimée par le verbe :

   Il   tombe   de gros flocons   (= de gros flocons tombent).
   sujet   sujet
   grammatical   logique

❷ Les verbes défectifs

■ **Les verbes défectifs ont une conjugaison incomplète** : certaines formes manquent (elles font défaut) ou ne sont pas utilisées (elles sont inusitées).

Par exemple, l'impératif présent du verbe *frire* est inusité aux 1ʳᵉ et 2ᵉ personnes du pluriel. **C'est un verbe défectif.**

LE SYSTÈME DE LA CONJUGAISON

■ Le verbe est le mot qui peut prendre le plus de formes différentes. Comme les noms, les pronoms, les adjectifs, il change de forme en fonction du nombre (singulier ou pluriel) et parfois du genre (masculin ou féminin).

■ À ces variations s'ajoutent celles qui sont liées à la personne, au temps, au mode, à la voix.

■ On appelle « conjugaison » l'ensemble des formes que peut prendre un verbe sous l'effet de ces modifications.

> **La forme du verbe varie selon que le sujet grammatical est singulier ou pluriel, et, aux temps composés (dans certains cas seulement), selon son genre et son nombre** *(voir fiche 11).*

En latin, langue à l'origine du français, la forme du verbe suffisait à indiquer si le pronom sujet était une 1re personne, une 2e ou une 3e, du singulier ou du pluriel. Le français a conservé ces variations bien qu'il exprime le pronom sujet :

	singulier		pluriel	
1re personne	*je*	*chanter**ai***	***nous***	*chanter**ons***
2e personne	*tu*	*chanter**as***	***vous***	*chanter**ez***
3e personne	***il/elle/on*** ou tout autre sujet	*chanter**a***	***ils/elles*** ou tout autre sujet	*chanter**ont***

❶ La 1re personne

■ **La 1re personne désigne l'être** (ou, parfois, la chose) **qui s'exprime, seul ou inclus dans un groupe.** On l'exprime à l'aide des pronoms sujets *je* (*j'* devant une voyelle ou un *h-* muet) au singulier, et ***nous*** au pluriel :

> *J'irai / nous irons en vacances en Suisse.*

REMARQUES

1. ***Nous*** indique que celui qui parle fait partie d'un groupe, et peut avoir plusieurs significations :

▸ *nous* = toi + moi : *Nous allons être amis, tous les deux ;*

▸ *nous* = vous + moi : *Nous allons commencer la visite ;*

▸ *nous* = lui/elle + moi : *Nous vous rendrons visite demain ;*

▸ *nous* = eux/elles + moi : *Nous allons au cinéma, les enfants et moi.*

2. ***Nous*** a dans certains cas le sens d'un singulier :

▸ ***nous* de majesté** : *Nous vous faisons chevalier ;*

▸ ***nous* de modestie** (son emploi permet d'éviter de dire *je*, qui peut paraître prétentieux) : *Dans notre étude, nous avons adopté la méthode suivante… ;*

▸ ***nous*** signifiant *tu* (familièrement ou ironiquement) : *Alors, nous n'avons toujours pas appris notre leçon ?*

ATTENTION Le pronom indéfini **on** remplace quelquefois **nous** en langage familier et prend alors la valeur d'un pronom personnel pluriel :
Nadia et moi, on est allés au cinéma hier.

2 La 2ᵉ personne

■ **La 2ᵉ personne désigne le ou les êtres** (ou, parfois, les choses) **à qui l'on parle.** On l'exprime par les pronoms personnels **tu** au singulier et **vous** au pluriel : *As-tu vu l'heure ? Les enfants, voulez-vous du gâteau ?*

■ **Le pronom *vous* peut aussi désigner une personne unique** (vouvoiement de politesse) : *Vous êtes très aimable, monsieur.*

REMARQUE *Vous* (désignant un pluriel) a plusieurs sens : toi + toi, toi + vous, ou toi + lui/eux/elle(s).

ATTENTION Le pronom **on** remplace quelquefois **tu** ou **vous** en langage familier : *On a perdu sa langue ? On est fatigué/ée/és/ées ?*

3 La 3ᵉ personne

■ **La 3ᵉ personne représente l'être de qui on parle, ou la chose dont on parle** ; le sujet de 3ᵉ personne peut être :

▶ un nom ou un groupe nominal : *Deux chats se promènent sur le toit ;*

▶ un pronom de 3ᵉ personne qui peut être un pronom personnel sujet (*il/s, elle/s*) : *Jean est absent, on dit qu'il est malade* (*il* : pronom personnel), ou un pronom démonstratif, possessif, indéfini (*cela, on*), etc. : *Mes géraniums poussent mal, les tiens sont magnifiques* (*les tiens* : pronom possessif) ;

▶ un autre équivalent du nom, par exemple un verbe à l'infinitif : *Mentir* (= le mensonge) *est inutile* ou une proposition subordonnée : *Que Marie réussisse* (= la réussite de Marie) *me ferait plaisir.*

REMARQUE Parmi les pronoms personnels, le pronom de 3ᵉ personne est le seul à posséder un genre qui peut être :

▶ le masculin : *Il* (= le château) *tombe en ruine ;*

▶ le féminin : *Elle* (= la championne) *a battu le record ;*

▶ le neutre : *« Je suis jeune, il est vrai »* (*le Cid*, Pierre Corneille) = cela, le fait que je sois jeune, est vrai...

Rappel Les verbes dits **impersonnels** se conjuguent seulement à la 3ᵉ personne du singulier.

⑥ LES VOIX

La voix est l'une des trois formes sous lesquelles peut se présenter le verbe. Schématiquement, elle permet d'indiquer quelle relation grammaticale existe entre le sujet, le verbe et l'éventuel complément d'objet.

① La voix active

■ La voix active indique que le sujet du verbe :

▶ fait une action sur le C.O.D. :

*L'enfant **casse** ses jouets ;*

▶ est dans un certain état (***être, paraître**...*), change d'état (sous l'effet d'une action dont l'agent n'est pas nommé : ***devenir, fondre, bouillir, prendre*** au sens de «devenir solide»...), se déplace (***venir, aller**...*) ; dans ce cas, le verbe n'existe le plus souvent qu'à la voix active :

*Cet enfant **paraît** très éveillé ;*

*La glace **fond** ; le ciment **prend** ;*

*Je **viens** vous parler.*

> **REMARQUE** Généralement, dans les livres de grammaire et les dictionnaires, les tableaux de conjugaison sont donnés à la voix active.

② La voix passive

■ La voix passive, toujours conjuguée avec l'auxiliaire *être*, indique que le sujet du verbe subit une action :

*Le jouet **est** déjà **cassé**.*

■ Seuls les verbes transitifs directs (suivis d'un C.O.D.) peuvent être mis à la voix passive ; le sujet du verbe passif est le C.O.D. du verbe actif correspondant :

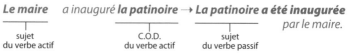

Le maire a inauguré **la patinoire** → **La patinoire a été inaugurée** *par le maire.*

| sujet du verbe actif | C.O.D. du verbe actif | sujet du verbe passif |

> **ATTENTION** Les verbes ***obéir à, désobéir à*** et ***pardonner à,*** qui sont suivis d'un C.O.I. à la voix active, peuvent néanmoins admettre la voix passive : *Pierre **a été obéi** ; Lucie **est pardonnée**.*

REMARQUE L'agent (celui qui fait réellement l'action) peut être exprimé par un complément appelé **complément d'agent**, lequel est introduit par les prépositions *par* ou *de* :

> <u>*La patinoire*</u> *a été inaugurée* <u>*par le maire*</u>.
> sujet   complément d'agent
> qui subit l'action   qui fait l'action

> *Ma grand-mère était aimée **de** tous.*

❸ La voix pronominale

Conjugué à la voix pronominale, **le verbe est précédé d'un pronom personnel réfléchi,** c'est-à-dire représentant le(s) même(s) être(s) ou la (les) même(s) chose(s) que le sujet, qui joue le rôle de complément :

> *Tu **te rappelles** son nom ?* (*te* : pronom personnel réfléchi).

Rappel Les **verbes essentiellement pronominaux** n'existent qu'à la voix pronominale *(voir fiche 1)*. Le sens des verbes conjugués à la voix pronominale dépend du contexte.

● Les verbes pronominaux à sens réfléchi

Ils signifient que **le sujet fait une action sur lui-même ou pour lui-même** :

> *Pierre **se lave*** (= lave lui-même) : *se* est complément d'objet direct du verbe *laver* ;

> *Claire **s'est offert*** *une montre* (= a offert une montre à elle-même) : *se* est complément d'objet second (C.O.S.) du verbe *offrir*.

REMARQUE On appelle **C.O.S.** un second complément qui s'ajoute au C.O.D. ; quand il indique, comme ici, en faveur ou au détriment de qui se fait l'action, il est appelé **complément d'attribution**.

● Les verbes pronominaux à sens réciproque

Le pronom personnel renvoie aux différentes personnes représentées par le ou les sujets ; le verbe indique que **ces personnes font une action les unes sur les autres, ou les unes pour les autres** :

> *Les Dupont et les Martin **se détestent*** (*se* est C.O.D. du verbe *détester* : les uns détestent les autres, et réciproquement) ;

> *Vous vous faites des cadeaux* (*se* est C.O.S. du verbe *faire* : les uns font des cadeaux aux autres, et réciproquement).

Ces verbes ne peuvent guère exister qu'au pluriel, ou avec l'idée d'un pluriel :

> Le chat **s'est** encore **battu** (idée implicite d'un adversaire).

● **Les verbes pronominaux à sens passif**

Ils remplacent en une tournure plus élégante la voix passive qu'on hésite souvent à utiliser, en particulier quand l'agent de l'action n'est pas précisé (on peut aussi employer le pronom **on**). Le pronom réfléchi n'a pas de fonction particulière :

> L'huile pour moteur **se vend** en bidons (= l'huile... est vendue ou : on vend l'huile...).

● **Les verbes pronominaux à sens vague**

Ce sont les équivalents de verbes à la voix active et le pronom n'y a pas de valeur particulière. Il marque parfois une nuance de sens :

> « Madame se meurt » (Bossuet) = Madame agonise.

Pour résumer

Le sens du verbe conjugué à la voix pronominale varie selon le contexte :

> Il **se sert** dans le saladier → **sens réfléchi** = il sert lui-même ;
>
> Les enfants **se servent** les uns les autres → **sens réciproque** = chaque enfant sert un autre enfant ;
>
> Ce vin **se sert** bien frais → **sens passif** = ce vin doit être servi (ou : est généralement servi) bien frais ;
>
> Il **se sert** de l'ordinateur → **sens vague** = il utilise.

> **ATTENTION** À l'infinitif et au participe, un verbe conjugué à la voix pronominale peut sembler conjugué à la voix active. Le pronom réfléchi tend en effet à disparaître après les verbes **faire, laisser, envoyer, (em)mener :**
>
> On a laissé échapper un tigre (= on a laissé un tigre s'échapper).

④ L'auxiliaire de conjugaison

■ **À chacune des trois voix correspond une conjugaison spécifique :**

▶ **la voix passive** se conjugue à tous les temps avec l'auxiliaire **être** ;

▶ **la voix pronominale** se conjugue aux temps composés avec l'auxiliaire **être** ;

▶ **la voix active** se conjugue aux temps composés avec l'auxiliaire **_avoir_** ou l'auxiliaire **_être_** selon les verbes :

	indicatif	
	présent	**passé composé**
voix active	je lave	j'ai lavé
	je descends	je suis descendu/e
voix passive	je suis lavé/e	j'ai été lavé/e
voix pronominale	je me lave	je me suis lavé/e

> Un mode est une catégorie de la conjugaison qui définit la manière dont celui qui parle perçoit l'état ou l'action exprimés par le verbe.

■ Par exemple, **le mode indicatif** sert à exprimer des états ou des actions présentés comme réels ou certains :

*Nous **partirons** demain ;*

le mode subjonctif est utilisé pour des actions ou des états non réalisés, incertains, souhaités :

*Il faut que nous **partions** demain.*

■ **La conjugaison des verbes comprend sept modes,** chacun d'entre eux pouvant (si le sens le permet) exister aux voix active, passive, pronominale et à différents temps *(voir fiche 8)*.

❶ Les modes personnels

■ Il existe **quatre modes personnels**, ainsi nommés car **les formes verbales varient en personne et en nombre**, et parfois en genre aux temps composés.

▶ **L'indicatif**

Tu aimes ; tu es aimée ; vous vous aimez.

▶ **Le subjonctif**

[Il faut] que tu aimes ; que tu sois aimée ; que vous vous aimiez.

▶ **Le conditionnel**

Tu aimerais ; tu serais aimée ; vous vous aimeriez.

REMARQUE Les temps du conditionnel sont parfois considérés comme appartenant à l'indicatif.

▶ **L'impératif**

Aime ; sois aimée ; aimez-vous.

❷ Les modes impersonnels

■ La conjugaison comporte **trois modes impersonnels**, c'est-à-dire dont **la forme ne varie pas selon la personne** ; seul le **participe passé** peut varier, mais en genre et en nombre et non pas en personne *(voir fiche 11)*.

▶ **L'infinitif**

servir (prés., voix active) ; *avoir été servi/ie/is/ies* (passé, voix passive) ;
s'être servi/ie/is/ies (passé, voix pronominale).

▶ **Le participe**

servant ; ayant été servi/ie/is/ies ; s'étant servi/ie/is/ies.

ATTENTION On appelle couramment **participes passés** les formes
comme ***servi/ie/is/ies*** qui, accompagnées d'un auxiliaire, servent à construire les temps composés.

▶ **Le gérondif** *(voir aussi fiche 16)*

en servant (voix active) ; *en étant servi/ie/is/ies* (voix passive) ; *en se
servant* (voix pronominale).

ATTENTION À la voix pronominale, les modes impersonnels prennent la
marque de la personne :
*On m'a dit de **me** servir ;*
*En **te** servant du micro-ordinateur, tu iras plus vite.*

⑧ LES TEMPS

Dans une phrase, le verbe peut servir à évoquer une action, une situation en cours d'évolution, ou encore l'apparition d'un sentiment, un mécanisme intellectuel : c'est ce qu'on appelle un « procès », c'est-à-dire un processus. Il peut aussi évoquer un état ou un sentiment permanents.

❶ Les valeurs des temps

■ Chaque mode du verbe comporte un ou plusieurs temps. Ceux-ci permettent de **préciser à quel moment se situent ce procès ou cet état.** Ce moment est défini par rapport au moment où l'on parle ou écrit. Par exemple, à l'indicatif :

▶ si le procès se déroule **au moment où l'on s'exprime** (= **simultanéité**) → on emploie le **présent** : *Nous **mangeons** de la tarte* ;

▶ si le procès s'est déroulé **avant le moment où l'on s'exprime** (= **antériorité**) → on emploie un temps du **passé** : *Hier, je **suis allée** au cinéma* ;

▶ si le procès doit se dérouler **après le moment où l'on s'exprime** (= **postériorité**) → on emploie le **futur** : *Demain, il **fera** beau.*

■ On peut ainsi faire figurer les différents temps de la conjugaison de l'indicatif sur un axe du temps :

Axe du temps

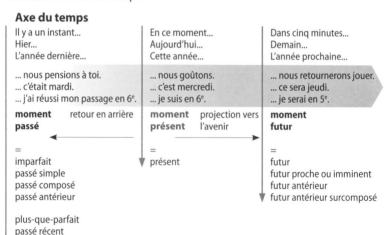

Il y a un instant... Hier... L'année dernière...	En ce moment... Aujourd'hui... Cette année...	Dans cinq minutes... Demain... L'année prochaine...
... nous pensions à toi. ... c'était mardi. ... j'ai réussi mon passage en 6ᵉ.	... nous goûtons. ... c'est mercredi. ... je suis en 6ᵉ.	... nous retournerons jouer. ... ce sera jeudi. ... je serai en 5ᵉ.
moment retour en arrière **passé**	**moment** projection vers **présent** l'avenir	**moment** **futur**
= imparfait passé simple passé composé passé antérieur plus-que-parfait passé récent temps du passé dits *surcomposés*	= présent	= futur futur proche ou imminent futur antérieur futur antérieur surcomposé

De tous les modes, l'indicatif est celui qui comporte le plus grand nombre de temps *(voir tableaux pages suivantes)* ; **c'est le seul qui exprime le futur.**
Les autres modes n'ont qu'un présent et un ou plusieurs temps du passé.

❷ Temps simples, composés et surcomposés

Il existe trois catégories de temps, classés selon leur forme.

● Les temps simples

La forme verbale est constituée d'un seul mot :
Je marcherai (ind. futur simple, voix active).

● Les temps composés

La forme verbale est constituée d'un auxiliaire ou d'un semi-auxiliaire *(voir fiche 2)* à un temps simple, suivi du participe passé ou de l'infinitif présent :

J'aurai **marché** (ind. futur antérieur, voix active) ;
auxiliaire   participe
au futur simple passé

Je **vais** **marcher** (ind. futur proche, voix active).
semi-auxiliaire infinitif
au présent

Pour former les principaux temps composés, on procède ainsi :

temps composé voulu	temps de l'auxiliaire	exemples
indicatif		
passé composé	indicatif présent	*j'**ai** chanté ; je **suis** descendu/e*
plus-que-parfait	indicatif imparfait	*j'**avais** chanté ; j'**étais** descendu/e*
futur antérieur	indicatif futur simple	*j'**aurai** chanté ; je **serai** descendu/e*
passé antérieur	indicatif passé simple	*(quand) j'**eus** chanté ; je **fus** descendu/e*
impératif passé	impératif présent	***aie** chanté ; **sois** descendu/e*
conditionnel passé	conditionnel présent	*j'**aurais** chanté ; je **serais** descendu/e*
subjonctif passé	subjonctif présent	*que j'**aie** chanté ; que je **sois** descendu/e*
plus-que-parfait	subjonctif imparfait	*que j'**eusse** chanté ; que je **fusse** descendu/e*
infinitif passé	infinitif présent	***avoir** chanté ; **être** descendu/e*
participe passé	participe présent	***ayant** chanté ; **étant** descendu/e*
Attention : le gérondif existe seulement au présent		

● Les temps surcomposés

La forme verbale est constituée d'un auxiliaire conjugué à un temps composé, suivi du participe passé :

J' **ai eu** **marché** (ind. passé surcomposé, voix active).

auxiliaire au   participe
passé composé   passé

ATTENTION

▪ Les temps surcomposés n'existent ni à la voix passive ni à la voix pronominale.

▪ L'impératif passé n'existe ni à la voix passive ni à la voix pronominale.

③ Distribution des temps aux modes personnels

	indicatif	subjonctif	conditionnel	impératif
temps simples	**présent** *tu aimes*	**présent** *que tu aimes*	**présent** *tu aimerais*	**présent** *aime*
	imparfait *tu aimais*	**imparfait** *que tu aimasses*	n'existe pas	n'existe pas
	futur simple *tu aimeras*	n'existe pas	n'existe pas	n'existe pas
	futur du passé *tu aimerais*	n'existe pas	n'existe pas	n'existe pas
	passé simple *tu aimas*	n'existe pas	n'existe pas	n'existe pas
temps composés	**passé composé** *tu as aimé*	**passé** *que tu aies aimé*	**passé** *tu aurais aimé*	**passé** *aie aimé*
	plus-que-parfait *tu avais aimé*	**plus-que-parfait** *que tu eusses aimé*	n'existe pas	n'existe pas
	passé proche *tu viens d'aimer*	n'existe pas	n'existe pas	n'existe pas
	passé proche du passé *tu venais d'aimer*	n'existe pas	n'existe pas	n'existe pas
	passé antérieur *tu eus aimé*	n'existe pas	n'existe pas	n'existe pas
	futur proche *tu vas aimer*	n'existe pas	n'existe pas	n'existe pas

	indicatif	subjonctif	conditionnel	impératif
temps composés	**futur proche du passé** *tu allais aimer*	n'existe pas	n'existe pas	n'existe pas
	futur antérieur du passé *tu aurais aimé*	n'existe pas	n'existe pas	n'existe pas
	futur antérieur *tu auras aimé*	n'existe pas	n'existe pas	n'existe pas

❹ Distribution des temps aux modes impersonnels

	infinitif	participe	gérondif
temps simples	**présent** *aimer*	**présent** *aimant*	**présent** *en aimant*
temps composés	**passé** *avoir aimé*	**passé** *ayant aimé*	n'existe pas

Pour l'emploi des différents temps, voir fiches 17 à 19.

9 LES MÉCANISMES DE LA CONJUGAISON

① Les groupes de verbes

■ Selon la terminaison de leur **infinitif présent** actif, les verbes sont répartis en **trois groupes de conjugaison :**

▶ les verbes en **-er**, comme **aimer**, constituent le premier groupe : sauf **aller** et **envoyer**, ils sont tous réguliers, c'est-à-dire conformes à un modèle ;

▶ les verbes en **-ir** qui ont leur participe présent en **-issant**, comme **finir**, forment le deuxième groupe : ils sont tous réguliers, sauf quelques formes des verbes **haïr** et **fleurir** ;

▶ les verbes en **-ir** qui ont leur participe présent terminé par **-ant**, comme **venir**, les verbes en **-oir**, comme **savoir**, et en **-re**, comme **vivre**, sont rassemblés dans le troisième groupe : ils sont presque tous irréguliers.

REMARQUE Lorsqu'un nouveau verbe, rendu nécessaire par l'évolution de l'activité humaine, est créé, ce verbe appartient généralement au 1er groupe (*délocaliser, permanenter, scotcher*) ou, plus rarement, au 2e (*alunir,* calqué sur *atterrir*).

On peut dire que le 3e groupe représente un ensemble de conjugaisons mortes puisqu'il ne produit plus de nouveaux verbes. Certains verbes du 3e groupe ont même tendance à disparaître au profit de synonymes plus faciles à conjuguer, au prix de néologismes parfois jugés inélégants : ainsi *résoudre* est fortement concurrencé par *solutionner* ; *clore*, par *clôturer*, etc.

② La construction des formes conjuguées

Comme les noms et d'autres mots, le verbe est formé de plusieurs éléments.

■ L'élément de base est la **racine** qui indique la signification du verbe et qui se retrouve, plus ou moins modifiée (on parle alors de **radical**), dans les mots de la même famille :

chanter	**chant**	**chant**eur	**cant**atrice	dé**chant**er
radical	radical	radical	radical	radical

■ Au radical s'ajoute parfois un préfixe qui complète le sens (*re*chanter = chanter à nouveau) et toujours un **suffixe**. Ce suffixe a deux fonctions : il permet de construire, à partir du radical, un verbe, un nom, un adjectif ou un adverbe ; il sert de marque grammaticale au mot ainsi formé :

chant**eur**	inchant**able**	chant**er**
suffixe de nom	suffixe d'adjectif	suffixe de verbe

Dans le cas du verbe, ce suffixe est appelé **terminaison** ou **désinence**. Il permet au verbe de varier selon :

▶ le mode : *nous chant**ons** ;*   *chant**er** ;*   *chant**ant** ;*
              indicatif   infinitif   participe

▶ le temps : *je chant**e** ;*   *je chant**erai** ;*
               présent   futur

▶ la personne : *je chant**erai** ;*   *nous chant**erons**.*
                1ʳᵉ pers. du sing.   1ʳᵉ pers. du plur.

ATTENTION

■ Certains verbes ont plusieurs radicaux ; on dit qu'ils ont plusieurs **bases**. C'est le cas de verbes d'emploi très fréquent comme ***être, avoir*** ou ***aller.***

■ Les verbes dérivés à l'aide d'un préfixe se conjuguent généralement comme le verbe simple, sauf quelques cas particuliers *(voir Tableaux de conjugaison).*

LES RÈGLES D'ACCORD DU VERBE

■ Élément central du groupe verbal, le verbe est indispensable dans les phrases appelées « phrases verbales ».

■ Le verbe n'est généralement pas isolé dans la phrase. Pour orthographier correctement une forme verbale, il est donc nécessaire de savoir repérer son sujet et, souvent, son complément d'objet.

■ Si l'on veut employer un verbe dans une phrase complexe, il faut aussi comprendre quels modes et quels temps utiliser en fonction du contexte.

■ **Aux temps simples,** le sujet d'une phrase impose au verbe un accord en personne et en nombre : le verbe prend une terminaison spécifique :

tu	dans**es**	**elles**	dans**ent**
sujet à la 2ᵉ pers. du sing.	terminaison de la 2ᵉ pers. du sing.	sujet à la 3ᵉ pers. du plur.	terminaison de la 3ᵉ pers. du plur.

Aux temps composés, c'est l'auxiliaire qui s'accorde en personne et en nombre avec le sujet *(pour l'accord du participe passé, voir fiche 11).*

❶ Accord avec un seul sujet

■ **Lorsqu'il y a un seul sujet, le verbe s'accorde en personne et en nombre avec ce sujet :**

L'avion décolle (sujet à la 3ᵉ pers. du sing.
→ verbe à la 3ᵉ pers. du sing.) ;
Tu arriveras bientôt (sujet à la 2ᵉ pers. du sing.
→ verbe à la 2ᵉ pers. du sing.).

ATTENTION La règle s'applique aussi dans le cas du **sujet inversé** (placé après le verbe). **On inverse obligatoirement le sujet :**

▪ dans certaines phrases interrogatives (plus rarement dans une phrase exclamative) :

*Vont-**elles** finir par arriver ?* (le pronom sujet *elles* est inversé) ;
*Aimez-**vous** voyager ? Où vont-**ils** en vacances ?*

▪ avec le verbe ***dire*** ou tout verbe qui introduit des paroles que l'on rapporte, si ce verbe se trouve au milieu de la citation ou après celle-ci :

*« Ils sont trop verts, dit-**il**, et bons pour des goujats »* (La Fontaine) ;
*« Quelle belle nuit ! » s'exclama **Pierre** en s'asseyant ;*

▪ après des adverbes comme ***aussi***, au sens de *c'est pourquoi* :

*Je te savais malade, aussi suis-**je** heureuse de te voir.*

● Cas particuliers

Il peut arriver que le verbe ne s'accorde pas avec son sujet grammatical.

▷ Si le sujet est un **nom collectif au singulier**, comme *une classe* (= un ensemble d'élèves) ou *un tas* (= un empilement d'objets), l'accord du verbe se fait normalement, selon la personne et le nombre :

*Un gros troupeau travers**e** la route.*

ATTENTION Si le **nom collectif**, employé avec un article indéfini (*un, une*), est suivi d'un **complément de détermination** (appelé quelquefois complément du nom), on peut, au choix, accorder le verbe selon la grammaire ou selon le sens.

■ Si on veut insister sur l'idée d'un groupe uni, **l'accord se fait au singulier :**

> *Une foule de touristes se presse à l'entrée du musée.*

■ Si on veut mettre en valeur le grand nombre d'individus qui composent l'ensemble (et qui sont exprimés par le complément de détermination), **l'accord se fait au pluriel :**

> *Une foule de **touristes** se press**ent** à l'entrée du musée.*

La règle s'applique aussi à des expressions comme ***le reste de, ce que j'ai de :*** *Le reste de mes livres **ira/iront** au grenier.*

▶ Si le sujet est un **nom numéral** indiquant une fraction *(moitié, tiers, dixième…)* ou un ensemble *(dizaine, [demi-]douzaine, centaine, millier, etc.)* et qu'il soit suivi d'un complément de détermination, **c'est le sens de la phrase qui détermine l'accord :**

> *Une demi-douzaine d'œufs **sera** nécessaire pour le gâteau* (ici, le nom *demi-douzaine* a un sens précis : c'est un ensemble de six → l'accord se fait selon l'idée d'ensemble) ;
>
> *Une demi-douzaine de badauds assist**aient** à la scène* (une *demi-douzaine* désigne ici un nombre indéfini : il pouvait y avoir aussi bien cinq badauds que sept → l'accord se fait selon l'idée de nombre).

▶ Si le sujet est un **adverbe de quantité**, ou une **expression signifiant la quantité** *(peu/beaucoup, assez/trop, tant, la plupart, nombre* suivis ou non de *de,* etc.)*, **l'accord se fait avec le complément qui suit** (même s'il est sous-entendu). Celui-ci est le plus souvent au pluriel, mais peut se présenter au singulier, par exemple s'il désigne une quantité indénombrable (qu'on ne peut pas compter) :

> *Beaucoup de skieurs descend**ent** la piste ;*
>
> *Beaucoup la descend**ent*** (complément pluriel sous-entendu) ;
>
> *Beaucoup d'eau ruissell**e** dans ce chemin.*

▶ Malgré leurs sens, l'expression ***plus d'un(e)*** appelle un accord au singulier :

> ***Plus d'un** hôtel affich**e** « complet » ;*

et l'expression ***moins de deux*** demande un accord au pluriel :

> ***Moins de deux** heures suff**iront**.*

27

▶ Dans le cas des **verbes impersonnels** *(voir fiche 4)*, le sujet grammatical *il* appelle le singulier, même si le verbe est suivi d'un sujet logique au pluriel :

> Il **faut** des outils.

▶ Le pronom neutre *ce* (*c'*) est singulier :

> C'**est** triste.

REMARQUE Quand *ce* joue le rôle de présentatif, l'accord peut se faire **soit au singulier, soit au pluriel** :

> C'**est** mes neveux (langue courante) ;
> Ce **sont** mes neveux (langue soutenue).

De la même manière, on peut dire *c'est eux* ou *ce sont eux.*

▶ Si le **sujet** est un **verbe à l'infinitif,** une **proposition subordonnée** ou une **citation entre guillemets,** l'accord se fait au singulier :

> Conserver le bon cap paraît difficile ;
> Comment elle a réussi rest**e** un mystère.

▶ Si le sujet est un **titre d'œuvre au pluriel,** l'accord se fait plutôt au pluriel quand le titre commence par un article :

> « Les Femmes savantes » **sont** au programme ;

s'il ne comporte pas d'article, l'accord se fait au singulier :

> « Dialogues de bêtes » **est** au programme.

② Accord avec plusieurs sujets

■ **Lorsqu'il y a plusieurs sujets juxtaposés ou coordonnés par *et, puis,* etc., le verbe s'accorde au pluriel :**

> L'aigle, le milan, le faucon, la buse **sont** des rapaces ;
> Janine, Michelle et Pierre arriv**eront** bientôt ;
> Toi et moi **irons** au cinéma.

Pour l'accord avec des personnes différentes, voir ci-contre, paragraphe 3.

● **Cas particuliers**

Il arrive quelquefois que l'accord se fasse au singulier.

▶ Quand les sujets juxtaposés formant une énumération sont repris par un pronom indéfini singulier (***tout, rien, nul, personne***), l'accord se fait au singulier avec ce pronom placé en dernier :

> « Un souffle, une ombre, un rien, tout lui donnait la fièvre » (La Fontaine).

▶ Quand les sujets sont coordonnés par les conjonctions *ou* ou *ni*, tout dépend du sens de la phrase :

- on fait l'accord au pluriel quand la présence (ou l'absence) d'un sujet dans l'action n'exclut pas celle de l'autre :

*Je ne sais pas si le vin ou le café **sont** compris* (ce peut être l'un et l'autre) ;

*Ni le vin ni le café ne **sont** compris.*

- on fait l'accord au singulier quand seul l'un des sujets peut faire l'action :

*Le Brésil ou l'Italie **gagnera** la Coupe du monde* (seul l'un des deux peut gagner).

ATTENTION

▪ Après ***l'un(e) et l'autre,*** on met le plus souvent le pluriel, mais le singulier est possible si les deux sujets sont considérés séparément :

*L'une et l'autre voiture **sont** en panne* (= les deux) ;

*L'un et l'autre savant **fait** autorité dans son domaine* (= chacun d'eux).

▪ Après ***l'un(e) ou l'autre,*** on met le plus souvent le singulier car les deux sujets s'excluent : *L'un ou l'autre **a** tort.*

▪ Après ***ni l'un(e) ni l'autre,*** l'accord se fait au pluriel ou au singulier selon qu'on considère séparément ou non les deux sujets :

*Ni l'une ni l'autre des voitures ne **sont** en panne ;*

*Ni l'une ni l'autre ne **saura** vous aider.*

❸ Accord avec des personnes différentes

■ **Lorsqu'il y a plusieurs sujets de même personne, le verbe s'accorde au pluriel avec cette personne :**

La chatte et son petit   ***dorment*** *dans le panier.*

deux sujets
à la 3ᵉ pers.

verbe à la 3ᵉ pers.
du pluriel

■ **Lorsqu'il y a plusieurs sujets de personnes différentes, le verbe s'accorde avec une seule des personnes représentées, selon des règles bien précises.**

▶ la 1ʳᵉ personne l'emporte sur la 2ᵉ :

*Toi et **moi** **irons** au cinéma.*

1ʳᵉ pers.
du sing

verbe à la
1ʳᵉ pers. du plur.

▶ la 1ʳᵉ personne l'emporte sur la 3ᵉ :

*Elle et **moi irons** au cinéma.*

29

▶ la 1ʳᵉ personne l'emporte sur la 2ᵉ et la 3ᵉ réunies :

*Elle, toi et **moi irons** au cinéma.*

▶ la 2ᵉ personne l'emporte sur la 3ᵉ :

***Toi** et elle **irez** au cinéma ; Pierre, Claire, Marie et **toi irez** au cinéma.*

❹ Accord avec le sujet *qui*

■ **Si le sujet est le pronom relatif *qui*, le verbe s'accorde en personne avec l'antécédent de ce pronom** (le nom que le pronom reprend) :

*C'est **moi**   qui   **veux**   venir ;*

antécédent à la   verbe à la 1ʳᵉ pers.
1ʳᵉ pers. du sing.   du sing.

*C'est **elle** qui **veut** venir ;*
***Vous** qui voul**iez** du gâteau, en voici.*

REMARQUE **Lorsque l'antécédent du relatif est un attribut du sujet, l'accord se fait plutôt avec la personne de cet attribut :**

Vous   êtes   **un commerçant**   **qui**   **sait**   *conseiller ses clients.*

sujet à la   attribut du sujet à la   pronom   verbe accordé :
2ᵉ pers.   3ᵉ pers. du sing.   relatif   3ᵉ pers. du sing.
du sing.

▶ Cependant, avec les adjectifs attributs ***le seul (la seule) qui, le premier (la première) qui, le dernier (la dernière) qui,*** l'accord en personne peut se faire avec cet attribut ou avec le sujet :

Vous êtes le seul qui puissiez (puisse) m'aider.

▶ Avec les autres adjectifs attributs exprimant la pluralité, l'accord se fait avec la personne du sujet :

***Vous** êtes trois qui **puissiez** m'aider.*

11 L'ACCORD DU PARTICIPE PASSÉ

> Les temps composés de la conjugaison sont formés à l'aide d'un auxiliaire et d'un participe passé. L'auxiliaire (*être* ou *avoir*) s'accorde en personne et en nombre avec le sujet du verbe.
> Le participe passé, qui n'est alors qu'un élément du verbe, peut prendre un accord en genre et en nombre, selon l'auxiliaire et la voix employés.

❶ Verbes conjugués avec *être*

■ Les verbes conjugués à la **voix passive** le sont toujours à l'aide de l'auxiliaire *être*. **Le participe passé s'accorde en genre et en nombre avec le sujet du verbe** :

Tous les déchets	*seront*	*recyclés*.
sujet masc. plur.	auxiliaire *être*	part. passé au masc. plur.

> **ATTENTION** La règle reste la même quand l'auxiliaire *être* est lui-même à un temps composé ; mais il faut savoir que le verbe *être* se conjugue avec l'auxiliaire *avoir* (*voir tableau de conjugaison n°1*) :
>
> | *Tous les déchets* | **ont été** | **recyclés**. |
> |---|---|---|
> | | auxiliaire *être* au passé composé | accord avec le sujet pluriel |

À la **voix pronominale**, tous les verbes forment leurs temps composés avec *être*. Les **verbes essentiellement pronominaux** (*voir fiche 1-3*), les **pronominaux à sens passif** ou à **sens vague** (*voir fiche 6-3*) suivent la règle générale ; **le participe passé s'accorde en genre et en nombre avec le sujet du verbe** :

> *Les coureurs se sont élancés* (essentiellement pronominal) ;
> *Cette marchandise s'est bien vendue* (sens passif) ;
> *Marie s'est attaquée à un difficile problème* (sens vague).

Pour l'accord du participe passé des verbes pronominaux de sens réfléchi et réciproque, voir fiche 11-3.

■ À la **voix active**, seuls certains verbes se conjuguent avec *être* (*voir le « Répertoire des verbes »*). La règle est la même qu'à la voix passive ; **le participe s'accorde en genre et en nombre avec le sujet du verbe** :

> **Elle** est partie.

ATTENTION Quelle que soit la voix, il faut être attentif au **sens des pronoms sujets** :

- **on** (pronom indéfini de la 3e personne du singulier) peut avoir le sens de *nous, toi* ou *vous* :

   On est allé dans le jardin (quelqu'un d'inconnu : *on* joue le rôle de pronom indéfini singulier) ;

   Marie et moi, on est allées dans le jardin (*on* joue le rôle de pronom personnel pluriel au sens de *nous*
   → l'auxiliaire s'accorde au singulier mais le participe est au pluriel) ;

   Alors, ma chérie, on est trop fatiguée pour courir ? (*on* a ici le sens de *tu* et s'accorde donc au singulier) ;

- **nous** ou **vous** peuvent désigner une seule personne :

   Êtes-vous venu(e)s en métro ? (*on* s'adresse à deux personnes
   → accord au pluriel) ;

   Êtes-vous venu(e) en métro ? (*vous* de politesse = une seule personne
   → accord au singulier) ;

- quand le verbe comprend plusieurs sujets à la 3e personne de genres différents, le participe s'accorde au masculin pluriel :

   Amélie, Catherine et Pierre sont partis.

❷ Verbes conjugués avec *avoir*

■ Le **participe passé** des verbes conjugués avec l'auxiliaire **avoir s'accorde en genre et en nombre avec le complément d'objet direct** (C.O.D.) du verbe, si ce complément existe et s'il est **placé avant le participe** :

   *Plus de **cerises** ! Les oiseaux*   **les**   *ont **mangées** !*

   pronom C.O.D.   part. passé
   du verbe **manger**   accordé
   fém. plur. (remplace **cerises**)   au fém. plur.

   Voici les arbres   **que**   *nous avons récemment*   **plantés**.

   pronom relatif C.O.D. du   part. passé accordé
   verbe **planter**, masc. plur.   au masc. plur.
   (remplace **les arbres**)

■ **On n'accorde donc pas le participe passé dans les cas suivants.**

▶ **Quand le verbe est intransitif** (il ne peut avoir de C.O.), il n'y a pas d'accord :

   *Elles ont bien **ri** en le voyant.*

▶ **Quand le complément d'objet est indirect** (C.O.I. introduit par une préposition), notamment avec les verbes transitifs indirects, il n'y a pas d'accord :

> *Je vais observer l'éclipse, la presse **en** a beaucoup parl**é**.*
>
> pronom C.O.I. du verbe ***parler***
> (= la presse a beaucoup parlé de l'éclipse)

▶ **Quand le C.O.D. est placé après le participe**, il n'y a pas d'accord :

> *Nous avons **planté** **des arbres**.*
>
> part. passé   C.O.D. du verbe ***planter**,*
> invariable   placé après le part. passé

▶ **Quand le verbe est impersonnel**, il n'y a pas d'accord ; ce qui peut précéder le verbe n'est pas un C.O.D., mais le sujet logique du verbe *(voir aussi paragraphe 4)* :

> *As-tu entendu la tempête qu'il y a **eu** pendant la nuit ?* (le sujet logique du verbe est *qu'*, qui remplace le nom *tempête*).

▶ **Quand vient avant le verbe** non pas un C.O.D. mais un **complément circonstanciel** (C.C.) **de quantité**, il n'y a pas d'accord ; ce complément répond à la question *combien ?,* alors que le C.O.D. répond à la question *quoi ?* ou *qui ?*. Souvent construit sans préposition, ce C.C. indique la taille que l'on fait, le poids, le prix, l'âge, la distance, etc. :

> *Les quinze kilomètres que j'ai march**é** m'ont fatiguée* (*que*, qui remplace les *quinze kilomètres*, est un C.C. de quantité : j'ai marché combien ? quinze kilomètres → pas d'accord) ;
>
> *Il a vu bien des événements durant les cent ans qu'il a véc**u*** (il a vécu combien de temps ? cent ans ; *qu'*, remplaçant *cent ans*, est C.C. de quantité du verbe *vivre* → pas d'accord).

Mais on fait l'accord du participe dans des phrases de ce type :

> *Elle a eu bien du courage devant les épreuves qu'elle a véc**ues*** (elle a vécu quoi ? des épreuves ; *qu'*, remplaçant *épreuves*, est C.O.D. du verbe *vivre* → accord).

▶ **Quand le C.O.D.** placé devant le participe n'est pas le complément du verbe conjugué, mais celui d'un **verbe à l'infinitif placé après le participe**, il n'y a pas d'accord ; le sujet de ce verbe à l'infinitif est souvent sous-entendu :

> *Qui est cette actrice que j'ai entend**u** interviewer ?* (*que*, remplaçant *cette actrice*, est C.O.D. du verbe *interviewer* et non du verbe *entendre* : j'ai entendu quoi ? quelqu'un interviewer cette actrice) ;
>
> *Il s'est acheté tous les disques qu'il a **pu*** (*que*, remplaçant *tous les disques*, est C.O.D. non de *pouvoir* mais de *s'acheter* qui est sous-entendu : qu'il a pu s'acheter).

33

Mais on fait l'accord du participe quand le pronom antécédent est à la fois C.O.D. du verbe conjugué et sujet de l'infinitif qui le suit :

Qui est cette actrice que j'ai entendue parler à la radio ? (*que*, remplaçant *cette actrice*, est C.O.D. du verbe *entendre* et sujet du verbe *parler* : j'ai entendu qui ? cette actrice, et elle parlait).

▶ Quand le participe a devant lui pour **C.O.D.** le pronom adverbial neutre **en**, l'accord ne se fait pas si **en** a un sens partitif et remplace un nom indénombrable (désignant quelque chose qu'on ne peut pas ou guère compter en unités) :

Il a mangé des pâtes, de la confiture → Il en a mangé.

REMARQUE On peut accorder le participe :

▶ si **en** remplace un nom précédé de **des**, article indéfini pluriel (le nom déterminé est dénombrable, il représente des choses que l'on peut compter) :

As-tu acheté des livres ? → En as-tu acheté(s) ?

▶ si **en** est accompagné (et, de préférence, précédé) d'un adverbe de quantité :

*Des films, **combien** en ai-je vu(s) ! → J'en ai **trop** vu(s) !*

● <u>Accord en nombre du participe conjugué avec *avoir*</u>

■ Certaines des règles énoncées précédemment pour l'accord du verbe avec son sujet *(voir fiche 10)* s'appliquent à l'accord en nombre du participe avec son C.O.D. ; sont concernés : les **noms collectifs suivis d'un complément**, les **noms numéraux suivis d'un complément**, les **C.O.D.** multiples ; dans ce cas :

▶ **plusieurs C.O.D. singuliers** entraînent un accord du participe au pluriel, sauf lorsqu'ils ont un sens très proche. On écrit ainsi : *Pierre, Paul et Jacques que j'ai vus*, mais *La peur, l'angoisse que j'ai éprouvée* (accord au singulier : *la peur = l'angoisse*) ;

▶ **les C.O.D. coordonnés** par *ou* entraînent un accord du participe au singulier si la présence de l'un exclut celle de l'autre *(voir fiche 10 : « Accord avec plusieurs sujets »)* : *C'est Paul ou Jean que j'ai aperçu.*

● <u>Accord en genre du participe conjugué avec *avoir*</u>

■ Si le participe est précédé de **C.O.D. masculins et féminins**, l'accord se fait au masculin pluriel :

34   *Marie, Lise et Luc, je les ai vus hier.*

> **ATTENTION** Le pronom **l'** placé avant le participe peut être :
> ■ féminin : *J'ai vu la pièce, je l'ai trouvée ennuyeuse* (accord au féminin car **l'** = la pièce) ;
> ■ masculin : *Ce spectacle, je l'ai trouvé ennuyeux* (accord au masculin car **l'** = le spectacle) ;
> ■ neutre ; dans ce dernier cas, l'accord se fait au masculin (singulier) : *J'ai aimé la pièce, comme tu l'avais prévu* (**l'** est neutre et remplace une proposition : tu avais prévu quoi ? le fait que j'aimerais la pièce).

❸ Verbes à la voix pronominale de sens réfléchi ou réciproque

À la voix pronominale, des **règles d'accord particulières** existent **pour les verbes à sens réfléchi ou réciproque.**

■ **Le participe passé s'accorde avec le C.O.D. du verbe si celui-ci le précède** (règle semblable à celle qui concerne les verbes conjugués à la voix active avec l'auxiliaire **avoir**) ; ce C.O.D. peut être le pronom réfléchi, inséparable du verbe pronominal, ou un autre mot de la phrase.

▶ Exemples avec des **verbes pronominaux à sens réfléchi :**

Marie et moi, nous **nous** *sommes déjà* **lavé(e)s** ;
            C.O.D. du verbe **laver** :   part. passé accordé
            « nous avons lavé qui ?   avec le C.O.D.
            nous-mêmes »

Nous nous sommes **lavé**   **les mains** ;
         part. passé   C.O.D. placé
         non accordé   après le part.

Vos mains, vous **les** *êtes-vous* **lavées** ?
       pronom C.O.D.   part. passé accordé
       fém. plur.   au fém. plur. avec
    remplaçant **vos mains**   le C.O.D. placé avant

Jeanne **s'** *est* **acheté** *hier* **une nouvelle montre**.
   C.O.S.   part. passé   C.O.D. placé après le part.
          non accordé

▶ Exemples avec des **verbes pronominaux à sens réciproque :**

Marie et Paul **se** *sont* **aidés**   *pour ce travail* (= Marie a aidé Paul et
      C.O.D.   part. passé accordé   Paul a aidé Marie)
            au masc. plur.
            avec le C.O.D.

Les chefs d'État **se** *sont* **échangé** **les cadeaux d'usage**.
C.O.S.   part. passé   C.O.D. placé après le part.
non accordé

Les catastrophes naturelles se sont succédé cet hiver (pas d'accord du participe : *se* n'est pas un C.O.D. mais un C.O.I. = une catastrophe a succédé à l'autre) ;

Ils se sont menti/ressemblé/parlé... (*se* est un C.O.I. = l'un à l'autre).

ATTENTION

■ Le participe d'un même verbe conjugué à la voix pronominale peut suivre des règles d'accord différentes selon son sens :

Les enfants se sont servi de la tarte → sens réfléchi, pas d'accord avec le C.O.D. *(de la tarte)* car il est placé après le verbe ;

Les enfants se sont servis de l'ordinateur → sens vague (ils ont utilisé...), accord avec le sujet *(les enfants)*.

■ Le participe des verbes *se rire (de)*, *se sourire*, *se plaire*, *se déplaire* et *se complaire (à)* reste toujours **invariable**, que ces verbes soient employés :

– au sens réciproque, ce qui est normal puisque le pronom réfléchi a la fonction de C.O.I. *(sourire, plaire l'un à l'autre)* :

Elles se sont souri ; Ils se sont tout de suite déplu ;

– ou au sens vague, alors que la règle voudrait que le participe s'accorde avec le sujet :

Elles se sont ri des pièges (= elles n'en ont pas tenu compte) ;

Ils se sont plu à tout critiquer (= ils y ont pris plaisir).

■ Quand le **participe** passé est **suivi d'un infinitif**, on applique la même règle que pour le participe passé conjugué avec l'auxiliaire *avoir* : on fait l'accord avec le pronom réfléchi C.O.D. uniquement quand ce pronom est aussi le sujet du verbe à l'infinitif :

Elle s'est vue perdre l'équilibre (c'est elle qui perdait l'équilibre) ;

Elle s'est vu décerner un prix (c'est quelqu'un d'autre qui l'a décerné).

■ Le participe du verbe *se faire* reste **invariable** :

Elle s'est fait pleurer en épluchant les oignons ;

Ils se sont fait mal en tombant.

❹ Participe passé des verbes impersonnels

■ À toutes les voix, le participe passé des verbes employés impersonnellement est **invariable** :

*La circulation a été bloquée par la neige qu'il y a **eu*** (voix active) ;
Il s'est produit bien des événements depuis (voix pronominale) ;
Voici les mesures qu'il a été décidé de prendre (voix passive).

❺ Participe passé employé sans auxiliaire

■ Le participe passé peut être employé sans auxiliaire :

▶ soit comme équivalent de l'adjectif qualificatif : *l'année **passée*** (= l'année dernière) ; *une fille **élancée*** (= svelte) ;

▶ soit avec la valeur d'un verbe, par exemple dans une proposition participiale : *À peine la lettre reçue* (= dès que la lettre fut reçue), *il répondit.*

Le participe passé s'accorde alors en genre et en nombre avec le nom auquel il se rapporte, comme un adjectif qualificatif.

> **ATTENTION** Le participe passé de certains verbes est invariable lorsqu'il est placé immédiatement avant le nom auquel il se rapporte, mais s'accorde normalement s'il est placé après lui. Il s'agit surtout des formes suivantes :
>
> | | | | | |
> |---|---|---|---|---|
> | ***attendu*** | ***ci-inclus*** | ***étant donné*** | ***non compris*** | ***vu*** |
> | ***ci-annexé*** | ***ci-joint*** | ***excepté*** | ***passé*** | ***y compris*** |
>
> *Pass**é** la frontière, le paysage change* **mais** *La frontière pass**ée**… ;*
> *Le repas a coûté cent francs, y compr**is** les boissons* **mais** *boissons compr**ises**.*

LES RÈGLES D'ACCORD DU VERBE

Le participe présent actif a deux emplois : il peut être verbe ou adjectif ; dans ce dernier cas, il est appelé adjectif verbal.

■ Le participe présent employé comme **verbe** reste **invariable** :

Partant demain en voyage, nous ne vous verrons pas (*partant* est un participe présent employé comme verbe ; il équivaut à *comme nous partons*).

■ L'**adjectif verbal**, comme tout autre adjectif, **s'accorde en genre et en nombre** avec le nom ou le pronom qu'il qualifie :

*Florence est toujours **partante*** (= enthousiaste).

adj. verbal accordé
avec ***Florence***

REMARQUE L'adjectif verbal peut aussi parfois s'employer comme nom (on dit qu'il est **substantivé**) : *un(e) adhérent(e) ; un(e) passant(e) ; un(e) président(e).*

ATTENTION L'orthographe de l'adjectif verbal (substantivé ou non) peut être différente de celle du participe présent *(voir le « Répertoire des verbes »)*, particulièrement pour les verbes en ***-ger***, ***-guer*** et ***-quer***.
Le participe conserve intact le radical de l'infinitif.

verbe	participe présent	adjectif verbal
fatiguer	fatiguant	*une promenade fatigante*
fabriquer	fabriquant	*un fabricant de meubles*
convaincre	convainquant	*un argument convaincant*
somnoler	somnolant	*un enfant somnolent*

L'EMPLOI
DES MODES

■ Le mode utilisé dans la phrase permet, quand on s'exprime, de présenter comme on le souhaite un état ou un procès.

■ C'est le mode choisi qui indique si cet état ou ce procès sont réels, incertains, liés à une condition, souhaités ou redoutés, ou encore s'il s'agit d'un ordre ou d'une défense.

1 L'indicatif

■ L'indicatif, employé à ses différents temps *(voir fiche 8)*, permet de décrire **des états ou des faits réels** (passés, présents ou permanents), ou considérés comme certains dans le futur :

> *Pierre **est arrivé** hier, **reste** avec nous aujourd'hui et **repartira** demain.*

■ Dans un récit, l'indicatif peut exprimer des états ou des faits fictifs mais présentés comme réels :

> *« Une vieille femme **sortit** de la cabane. [...] Saisissant un coq par le cou, elle l'**égorgea** sur le feu »* (Henri Bosco).

2 Le subjonctif

■ Le subjonctif permet d'exprimer **un état ou une action non réalisés** et dont la réalisation est présentée comme :

▶ incertaine mais possible, éventuelle : *Il se peut qu'il **pleuve** demain* (subj. prés. du verbe *pleuvoir)* ;

▶ incertaine et douteuse : *Je ne crois pas qu'il **pleuve** demain ;*

▶ souhaitée, voulue, conseillée, ordonnée (mais on ne sait pas si cet ordre sera suivi d'effet) : *Pourvu qu'il **pleuve** ! Nous aimerions que tu **lises** ce roman ; Qu'ils **entrent*** (subjonctif à la place de l'impératif aux personnes où celui-ci est défectif) ;

▶ redoutée : *Je crains qu'il ne **pleuve** sur le ciment frais ;*

▶ supposée : *Qu'il **fasse** des excuses, et je l'autoriserai à rentrer* (= s'il fait...).

> **REMARQUE** Le subjonctif permet aussi d'exprimer :
>
> ▶ un procès réalisé mais qu'on examine intellectuellement, avec lequel on prend une distance pour se former une opinion : *Qu'il **soit** contrarié, d'accord, mais il pourrait rester poli ! Il est normal que la jeunesse **veuille** s'amuser ;*
>
> ▶ une possibilité que l'on refuse d'envisager, par exemple parce que l'on est indigné : *Moi, que je lui **fasse** des excuses ?*

● **Quand employer le subjonctif ?**

C'est dans les propositions subordonnées que le subjonctif est le plus souvent employé.

■ Après les verbes ou les périphrases verbales exprimant :

▶ **la volonté, l'ordre, la défense** : *je veux (voudrais) que, j'exige que, j'interdis que, je défends que, je souhaite(rais) que, je désire(rais) que* ;

▶ **l'obligation** : *il faut que, il est nécessaire que, il est impératif que, il importe que* ;

▶ **la possibilité, l'éventualité** : *il est possible que, il se peut que, il arrive que* ;

▶ **le doute** : *je doute que, je ne crois pas que* (mais : *je crois que* + indicatif), *je ne pense pas que* (mais : *je pense que* + indicatif), *je ne suis pas sûr/e que* (mais : *je suis sûr/e que* + indicatif) ;

▶ **la crainte** : *je crains que, je redoute que, j'ai peur que* ;

▶ **des sentiments divers** (regret, surprise, joie) : *il (c') est dommage que, je regrette que, je me plains que, je m'étonne que, je suis surpris/e que, je suis content/e que, je me réjouis que, je suis triste que, il est heureux que, il est malheureux que...*

■ Après certaines conjonctions de subordination exprimant :

▶ **le temps** : *avant que, en attendant que, jusqu'à ce que* (mais : *après que* + indicatif) ;

▶ **le but ou la crainte** (ce qu'on cherche à éviter) : *afin que, pour que, de (telle) sorte que, de manière que, de peur que, pour éviter que* ;

▶ **l'opposition ou la concession** : *quoique, bien que, sans que* ;

▶ **une cause que l'on écarte** : *non que* ;

▶ **la condition** : *à condition que, pourvu que, pour peu que, en admettant que, à moins que.*

■ On emploie aussi le subjonctif :

▶ après **le plus/le moins** + **adjectif ou adverbe** (ou tout autre superlatif) + **que** : *C'est le soda le moins cher que j'aie pu trouver* ;

▶ après **le seul (la seule) / le premier (la première)... qui** (ou un autre pronom relatif)... : *C'est le seul air que je sache jouer* ;

▶ après **il n'y a que... qui** (ou un autre relatif) : *Il n'y a que ce chandail qui m'aille encore* ;

▶ après **tout(e)... que** : *Tout courageux qu'il prétende être, il s'est enfui* ;

▶ après **quoi... que :** *Quoi qu'elle ait fait, elle est pardonnée* ;

▶ dans une proposition relative à valeur de but : *Je cherche un chien qui sache chasser* ;

▶ dans toute proposition subordonnée jouant le rôle de sujet : *Qu'il* **pleuve** *me chagrine ; Cela me chagrine qu'il* **pleuve**.

ATTENTION Le subjonctif est précédé de la conjonction **que** dans les tableaux de conjugaison, mais, dans certaines expressions, **que** n'accompagne pas toujours le subjonctif :

Vive le Québec ! (= que vive le Québec ! ; souhait) ;

Advienne que pourra (= qu'il arrive ce qui peut arriver) ;

Soit le carré ABCD... (= supposons qu'existe...).

■ Le conditionnel en tant que mode sert à exprimer en particulier **un pro-cès dont la réalisation n'est (ou n'était) pas certaine et dépend (ou dé-pendait) d'une condition.** Cette condition, au moment où l'on parle, peut être :

▶ réalisable (cette nuance est appelée **le potentiel**, ou **l'éventuel** si elle pa-raît moins probable) : *Vous **pourriez** venir à la fête demain si vos occupations le permettaient ;*

▶ non réalisable dans le présent (**irréel du présent**) : *Nous **sortirions** main-tenant s'il ne pleuvait pas ;*

▶ non réalisée dans le passé (**irréel du passé**) : *Elle **serait venue** si elle n'avait été retenue par ses obligations.*

■ Le conditionnel permet d'exprimer aussi :

▶ un souhait pour le futur → on emploie le conditionnel présent : *Je **boirais** bien un café !*

▶ un regret concernant le passé → on emploie le conditionnel passé : *J'**aurais voulu** partir plus tôt ;*

▶ une affirmation dont on ne veut pas assumer la responsabilité (on n'est pas sûr qu'elle soit exacte ou on s'exprime ironiquement) : *Il **serait** gravement malade ; Te **serais**-tu **décidée** à venir ?* (nuance ironique : on n'ose y croire) ;

▶ une demande, un conseil dont on souhaite atténuer la brutalité : *J'**aurais souhaité** vous demander un service ; Vous **devriez** être plus prudent.*

> **ATTENTION** Il faut éviter de confondre le conditionnel-mode avec le futur du passé et le futur antérieur du passé qui, bien que leurs formes soient celles des conditionnels présent et passé, appartiennent au mode indicatif *(voir fiche 8)*. On les appelle parfois **formes en *-rais* :** *Je croyais que tu **viendrais*** (futur du passé).

1 L'impératif

■ Dans une proposition isolée, **l'impératif exprime** :

▶ l'ordre ou la défense (c'est-à-dire l'ordre de ne pas faire quelque chose) : **Entrez ! Sois** prêt à l'heure ! N'**entrez** pas !

▶ une exhortation (un encouragement très vif) : **Ayez** confiance !

▶ une invitation : **Asseyez**-vous, mademoiselle ;

▶ une simple affirmation : **Croyez** bien à mes sentiments cordiaux.

ATTENTION Dans une proposition indépendante juxtaposée ou coordonnée à une autre, il remplace souvent un complément circonstanciel :
■ C.C. de condition : **Fais** un pas de plus, et tu tombes ! (= si tu fais…) ;
■ C.C. de concession (opposition) : **Répétez**-le-lui vingt fois, il ne vous entendra pas (= même si vous le lui répétez…).

2 L'infinitif

■ L'infinitif est d'abord la forme nominale du verbe : précédé ou non de l'article, **il fait du verbe l'équivalent du nom** (on dit qu'**il le substantive**) et lui en donne toutes les fonctions : **Courir** est bon pour la santé (= la course est bonne… ; courir : sujet du verbe être) ; Il en a perdu **le boire** et **le manger** (le boire, le manger : C.O.D. du verbe perdre).

■ L'infinitif a cependant souvent sa pleine **valeur de verbe** :

▶ avec son propre sujet parfois inversé, il est le centre d'une proposition subordonnée, dite infinitive : Je vois **des mésanges voler** (= des mésanges qui volent) ; La détonation a fait **s'envoler les oiseaux** (= que les oiseaux se sont envolés) ;

▶ sans sujet propre, il peut être le noyau d'un groupe infinitif complétant un verbe conjugué (comme C.O.I. ou C.C.) : « Je me suis empressé **de manquer la classe** (groupe infinitif C.O.I.) […] **pour filer en bateau sur le Furens** » (groupe infinitif C.C. de but) [Jules Vallès].

ATTENTION On peut employer un tel groupe uniquement si le sujet non exprimé de l'infinitif est aussi celui du verbe conjugué qui l'accompagne. La phrase suivante, qui comporte un seul sujet grammatical, est donc **incorrecte** : *La voiture a dérapé avant de me rendre compte du danger.* **Il faut écrire** :
   La voiture a dérapé avant que je ne me rende compte…

● <u>**Valeurs particulières**</u>

■ **Comme seul verbe d'une proposition** indépendante ou principale, avec ou sans sujet, l'infinitif peut exprimer :

▶ un ordre, une consigne, un mode d'emploi, une recette… : *Entrer sans* **frapper** *;* **Battre** *les œufs en neige…* ;

▶ une étape prévisible d'un récit (infinitif de narration, précédé de la préposition *de*) : *L'élève tomba de sa chaise ; et toute la classe* **de rire** *bruyamment ;*

▶ une hésitation, une indécision (infinitif délibératif, toujours de forme interrogative) : *« L'enfant [Cosette] jeta un regard lamentable en avant et en arrière. Que* **faire** *? Que* **devenir** *? Où* **aller** *? »* (Victor Hugo) ;

▶ divers sentiments (indignation, hypothèse inacceptable…) dans une phrase exclamative ou interrogative : **Rouler** *à cette vitesse en ville !* Moi, **faire** *des excuses ?*

L'EMPLOI DES MODES

45

1 Le participe

■ Quand il joue un **rôle d'adjectif**, le participe se comporte dans la phrase exactement comme l'adjectif qualificatif.

On le reconnaît au fait qu'il **peut toujours varier en genre et en nombre**, et qu'il peut prendre les degrés comparatif et superlatif :

Ces livres sont intéressants ; Cette pièce est plus intéressante ;
Ma question est intéressée.

■ Quand il joue le **rôle d'un verbe**, le participe terminé par **-ant** est toujours **invariable**.

▶ On le trouve le plus souvent avec son propre sujet, comme centre d'une proposition dite **participiale** :

*La pluie **ayant cessé**, nous pouvons sortir* (*la pluie* : sujet du participe).

▶ Il peut aussi ne pas avoir de sujet propre, tout en gardant sa valeur de verbe :

*Je la vois d'ici, **dévalant** (= qui dévale) les pentes ;*
***Partant** demain (= comme elle part), Marie fait ses bagages.*

2 Le gérondif

■ Le gérondif est **la forme adverbiale du verbe** : il n'existe qu'au présent et donne au verbe la valeur d'un adverbe circonstanciel ; il joue donc le **rôle d'un complément circonstanciel** :

▶ C.C. de temps : *Je siffle **en travaillant*** (= quand je travaille) ;

▶ C.C. de cause : *Elle s'est cassé la voix **en criant*** (= parce qu'elle a crié) ;

▶ C.C. d'opposition : *Tu as réussi ton examen **en ayant** à peine **révisé*** (= bien que tu aies à peine révisé) ;

▶ C.C. de condition : ***En passant** par là, vous iriez plus vite* (= si vous passiez par là...) ;

▶ C.C. de manière : *Il a obéi **en grommelant*** (= de mauvais gré) ;

▶ C.C. de moyen : *Je n'ai pu ouvrir le placard qu'**en forçant** la serrure.*

ATTENTION Le sujet non exprimé du gérondif doit être le même que celui du verbe dont le gérondif est complément circonstanciel :

***En démolissant** le mur, les ouvriers ont trouvé un trésor* (ce sont les ouvriers qui démolissent, et qui trouvent). La phrase : **En démolissant le mur, un trésor est apparu,* est donc incorrecte.

L'EMPLOI DES TEMPS

■ Un verbe à une forme donnée se caractérise généralement par trois valeurs qui précisent son sens :
- une valeur dite *modale*, liée au mode utilisé (voir précédemment) ;
- une valeur dite *temporelle*, liée au temps utilisé ;
- une valeur dite *d'aspect*, liée elle aussi au temps utilisé mais définissant la manière dont celui qui parle ou qui écrit se représente l'état ou l'action exprimés par le verbe.

1 Le présent

■ **Le présent de l'indicatif exprime :**

▶ une action ou un état qui commencent, qui sont en cours (le présent sert donc aussi à la description) ou qui se terminent au moment où l'on parle (au moment de l'énonciation) : *Le train* **démarre** *; Il* **pleut** *; La maison* **est entourée** *de grands saules ; Le jour* **baisse** *;*

▶ une action qui vient de se produire (**passé récent**) ou qui est sur le point de se produire (**futur imminent**) : *Je* **rentre** *à l'instant ; Nous* **partons** *dans un quart d'heure ;*

▶ dans un récit, un événement passé auquel on veut donner un certain relief. Ce présent, appelé **présent de narration**, remplace un verbe au passé simple ou au passé composé *(voir plus loin)* : *Nous* **déjeunions** *(imparfait) ; tout à coup, on* **frappe** *(présent) impatiemment à la porte... ;*

▶ un état qui se répète, une habitude ayant cours au moment où l'on parle (aspect dit **itératif**) : *Le mercredi, les enfants* **vont** *à la piscine ;*

▶ l'ordre : *Je passe devant, tu me* **suis** *;*

▶ un état ou une action qui constituent une vérité permanente : *L'eau ne* **gèle** *pas quand on y* **ajoute** *de la glycérine ; Qui sème le vent* **récolte** *la tempête.*

REMARQUE Dans un récit au passé, l'emploi du présent de l'indicatif peut signifier que ce que l'on décrit est toujours exact ou existe toujours au moment où l'on s'exprime : *« [...] Elle chaussa des galoches et avala les quatre lieues qui* **séparent** *Pont-l'Évêque d'Honfleur »* (Gustave Flaubert).

2 Le futur simple

■ **Le futur simple indique qu'une action est à venir ou doit se réaliser** avec certitude (telle est du moins l'opinion de celui qui parle) :

Nous **déjeunerons** *à Bruxelles ; Il* **fera** *beau demain.*

Il peut aussi exprimer :

▶ un ordre (plus ou moins atténué) ou un précepte général, une obligation morale : *Vous m'***attendrez** *ici ; Tu ne* **tueras** *point ;*

▶ une simple intention : *Je* **réviserai** *ma leçon après dîner ;*

▶ un passé (futur dit d'**anticipation historique**) : *Le Président ne* **terminera** *pas son mandat : il* **mourra** *cinq ans après son élection ;*

▶ certains sentiments : *Elle* **aura** *encore raison !* (ironie indignée) ;

▶ une vérité permanente : *Paris* **sera** *toujours Paris.*

③ Le futur proche ou imminent

■ Ce futur a les mêmes valeurs que le futur simple, mais **indique qu'un événement doit avoir lieu dans un avenir assez ou très rapproché** par rapport au moment où on s'exprime :

> *Elle **va se marier*** (futur proche) ;
> *Tu **vas faire** ton lit* (nuance d'ordre) ;
> *L'omelette **était sur le point de brûler*** (futur proche du passé).

④ Le futur antérieur

■ **Le futur antérieur indique que, de deux actions à venir, l'une se réalisera avant l'autre**, exprimée au futur simple :

> *Quand tu **auras fini** ton travail, nous nous **promènerons**.*
>   futur antérieur   futur simple

▶ Il prend, toujours avec l'idée d'une **antériorité**, les mêmes valeurs particulières que le futur (ordre, intention, anticipation historique...) : *Vous **aurez tapé** ce courrier avant ce soir ; Je t'**aurai donné** ma réponse d'ici à la fin du mois.*

▶ Il peut aussi exprimer une supposition : « *Ce doit être un courant d'air qui **aura fait** grincer la porte* » (Marcel Aymé).

⑤ Le futur du passé

■ **Le futur du passé** (mêmes formes verbales que le conditionnel présent) **indique que, dans le passé, un événement était encore à venir** : *Je pensais que tu m'**attendrais*** (au présent, ce serait : *Je pense que tu m'attendras*).

⑥ Le futur antérieur du passé

■ **Le futur antérieur du passé** (mêmes formes verbales que le conditionnel passé) est employé **pour indiquer que, de deux événements à venir dans le passé, l'un devait avoir lieu avant l'autre** : *Je pensais que, quand tu **aurais fini**, tu viendrais me rejoindre* (au présent : *Je pense que, quand tu auras fini, tu viendras me rejoindre*).

⑦ L'imparfait

■ Comme son nom l'indique, **l'imparfait exprime surtout un procès non terminé** (ou même non commencé) dans le passé :

▶ procès en cours (**aspect duratif**) : *Tiens, nous* ***parlions*** *justement de toi* ou état en cours (l'imparfait sert alors à la description dans le passé) : *La maison* ***était entourée*** *de grands saules ;*

▶ procès répété, habituel (**aspect itératif** : on n'envisage pas le moment où l'habitude a cessé) : *Le lundi* ***était*** *jour de fermeture ;*

▶ procès qui était sur le point de se réaliser, mais qui ne s'est pas accompli : *Il était temps, nous* ***partions !*** (= nous allions partir).

> **ATTENTION** L'imparfait s'emploie aussi **dans un système conditionnel** et indique alors :
>
> ▪ dans une **proposition subordonnée**, une condition non remplie au moment où l'on parle (irréel du présent : on emploie obligatoirement l'imparfait dans la proposition de condition) : *Si je* ***parlais*** *allemand, je pourrais m'expliquer ;*
>
> – ou un souhait présenté comme une suggestion : *Si tu* ***écrivais*** *au journal, tu aurais tous les renseignements ;*
>
> ▪ dans une **proposition indépendante ou principale**, le résultat prévisible d'une condition qui a failli être remplie ; l'imparfait remplace ainsi parfois le conditionnel passé : *Un pas de plus, et tu tombais à l'eau* (= et tu serais tombé...).

⑧ Le passé simple

■ Ce temps est aujourd'hui absent de la langue parlée. **Il ne se trouve qu'à l'écrit**, dans la langue soutenue ou littéraire.

Comme l'imparfait, **c'est un temps du passé** mais, contrairement à lui, **il exprime des faits totalement achevés** :

▶ dont on peut situer le début et la fin à un moment précis du temps (d'où le nom de **passé défini** qu'on lui donne parfois) : *Nous étions au milieu du repas quand elle* ***arriva*** *;*

▶ qu'on perçoit comme un tout sans en montrer le déroulement, sans en considérer la durée ; pour celui qui écrit, seul compte le fait que l'action ait eu lieu, peu importe qu'elle ait ou non pris du temps : *L'atmosphère était lourde, nous* ***mangeâmes*** *silencieusement.*

■ Par conséquent, le passé simple est utilisé pour montrer, souvent rapidement, les étapes d'un récit (aspect ponctuel) :

« *Enfin, il [un perroquet]* **se perdit**. *Elle [sa propriétaire] l'avait posé sur l'herbe,* **s'absenta** *une minute ; et quand elle* **revint**, *plus de perroquet ! D'abord elle le* **chercha** *dans les buissons, au bord de l'eau et sur les toits. [...] Ensuite elle* **inspecta** *tous les jardins [...]. Enfin elle* **rentra**, *épuisée, les savates en lambeaux, la mort dans l'âme* » (Gustave Flaubert).

REMARQUE Contrairement au passé composé, le passé simple permet de narrer des faits situés dans un passé lointain, sans rapport avec le présent (faits révolus), même s'ils se sont réellement produits. C'est pourquoi il est parfois appelé **passé historique** : *Molière* **naquit** *en 1622.*

⑨ Le passé composé

■ **Le passé composé est utilisé pour faire le récit oral ou écrit d'événements passés**, comme le passé simple, qu'il remplace en langage courant :

    Nous allions nous coucher quand elle **est arrivée**.

▶ On le trouve aussi dans des **récits** littéraires, et à l'intérieur d'un récit au passé simple quand l'auteur fait parler un personnage au discours direct :
« *Alors l'homme au teint bronzé prononça d'une voix lente : "[...] Moi, j'* **ai deviné** *la peur en plein jour, il y a dix ans environ. Je l'* **ai ressentie**, *l'hiver dernier, par une nuit de décembre"* » (Guy de Maupassant).

▶ Mais, contrairement au passé simple, le passé composé indique également l'**antériorité** d'un fait par rapport à un autre fait exprimé au présent ou au futur : *J'* **ai repeint** *les volets hier, ils seront bientôt secs.*

REMARQUE Cette action passée a souvent encore des conséquences au moment où l'on parle : *Il* **a hérité** *d'un oncle d'Amérique* (et, aujourd'hui, il est riche).

⑩ Le plus-que-parfait

■ **Le plus-que-parfait** s'emploie en proposition subordonnée ou indépendante et **indique une action passée antérieure à une autre**, exprimée à l'imparfait, au passé simple ou au passé composé :

    Les enfants ont mangé toute la tarte que j' **avais faite**.

⑪ Le passé antérieur

■ **Le passé antérieur indique lui aussi l'antériorité d'une action par rapport à une autre action située dans le passé.** On le trouve surtout dans les propositions subordonnées de temps, avec une proposition principale au passé simple. On l'emploie donc à l'écrit : « *Quand le cancer [la tumeur]* ***eut crevé,*** *elle le pansa tous les jours* » (Gustave Flaubert).

⑫ Le passé proche ou récent

■ Le passé proche est formé à l'aide du semi-auxiliaire ***venir de***.

▶ **Au présent**, il indique un événement qui s'est produit juste avant le moment où l'on parle :

*Je **viens de rentrer**.*

▶ **À l'imparfait** (passé proche du passé), il exprime qu'un événement s'était produit juste avant un autre événement dont on fait le récit :

*Je **venais de rentrer** quand j'ai appris la nouvelle.*

REMARQUE D'autres temps peuvent exprimer les mêmes nuances si on les accompagne de certains adverbes : *Je **rentre à l'instant** (présent) ; **À peine** **avais**-je **raccroché** que le téléphone sonnait de nouveau* (plus-que-parfait).

⑬ Les temps surcomposés

■ **L'emploi des temps surcomposés est rare et plutôt caractéristique de la langue parlée.** On ne les trouve guère qu'à l'indicatif :

▶ passé surcomposé (auxiliaire au passé composé) : *j'**ai eu** fini* ;

▶ plus-que-parfait surcomposé (auxiliaire au plus-que-parfait) : *j'**avais eu** fini* ;

▶ futur antérieur surcomposé (auxiliaire au futur antérieur) : *j'**aurai eu** fini.*

■ Les temps surcomposés permettent d'exprimer une **antériorité** par rapport à l'action exprimée par un verbe qui est lui-même employé à un temps composé. Par exemple, le passé surcomposé s'emploie en compagnie d'un verbe au passé composé pour indiquer un événement antérieur et totalement achevé :

*Quand j'**ai eu recopié** (passé surcomposé) l'adresse, je me suis aperçue (passé composé) de mon erreur.*

■ À tous les modes, le présent et le passé ont chacun une même valeur.

■ **Le présent** exprime un fait contemporain d'un autre fait (**simultanéité**) ou contemporain du moment où l'on parle :

*Nous ne croyions pas nous **tromper*** (l'action de *se tromper* se passe en même temps que celle de *croire* qui, elle, se situe dans le passé).

■ **Le passé** indique généralement l'**antériorité** d'un fait envisagé par rapport au moment où l'on parle ou par rapport à un autre moment. Ainsi, l'impératif passé indique qu'un ordre devra être réalisé avant un certain événement :

Aie fini *avant mon retour.*

❶ Les temps du subjonctif

■ Le subjonctif comprend **quatre temps** dont trois du passé mais, dans le langage de tous les jours (langue courante), seuls deux temps sont réellement utilisés, le **présent** et le **passé**, dans les conditions décrites ci-dessus :

*Je ne crois pas que Catherine **soit** encore là* (subjonctif présent) ;
*Je ne crois pas que Laurent **ait pu** faire réparer l'aspirateur*
(subjonctif passé).

■ L'**imparfait** et le **plus-que-parfait** ne sont utilisés qu'en langue soutenue (employée dans des circonstances plus rares) ou littéraire, quand on applique strictement les règles de la concordance des temps *(voir fiche 19)*.

❷ Les temps du conditionnel

■ Le conditionnel comprend **deux temps**, un **présent** et un **passé** ; ce dernier indique en particulier un **irréel du passé** (condition non réalisée dans le passé) ; la langue écrite soutenue ou littéraire fait parfois usage, à la place du conditionnel passé, du subjonctif plus-que-parfait :

*Si je m'étais mieux entraînée, je **serais arrivée** en tête*
(conditionnel passé) ;
*Si vous me l'aviez demandé, j'**eusse pu** vous aider* (subjonctif plus-que-parfait employé comme conditionnel passé).

53

> On appelle concordance des temps le rapport qui doit exister entre le verbe de la principale et celui de la subordonnée.

■ Dans une proposition subordonnée, l'emploi d'un temps est le plus souvent imposé par le temps du verbe de la proposition dont elle dépend, par exemple si on transpose un énoncé au discours direct en discours indirect :

Elle m'a dit : « Je pars pour Lausanne » (= deux prop. indépendantes)
→ **Elle m'a dit** **qu'elle partait pour Lausanne.**
  prop. principale   prop. subordonnée

REMARQUE On parle parfois de **concordance des modes** quand les deux verbes sont à un mode différent.

① Concordance dans une subordonnée à l'indicatif

■ Dans un système où **la proposition principale et la proposition subordonnée sont toutes deux à l'indicatif**, la concordance des temps se fait de manière logique, en tenant compte du moment où ont lieu les événements (ou les états) les uns par rapport aux autres.

▶ L'action ou l'état exprimés par la subordonnée ont lieu **en même temps** que ceux de la principale : on est dans un rapport de **simultanéité** → on emploie **le même temps dans les deux propositions** :

*Je **crois** qu'il **arrive*** (verbes au présent) ;
*Je **croyais** qu'il **arrivait*** (verbes à l'imparfait).

▶ L'action ou l'état exprimés par la subordonnée ont lieu **avant** ceux de la principale : on est dans un rapport d'**antériorité** → on emploie un **temps composé du passé dans la subordonnée** :

*Je **crois** qu'elle **est arrivée** ; Je **croyais** qu'elle **était arrivée.***
  présent   passé composé   imparfait   plus-que-parfait

L'action ou l'état exprimés par la subordonnée ont lieu **après** ceux de la principale : on est dans un rapport de **postériorité** → on emploie un **futur dans la subordonnée** :

*Je **crois** qu'il **fera** beau ; Je **croyais** qu'il **ferait** beau.*
  présent   futur simple   imparfait   futur du passé

REMARQUE Il est possible d'exprimer une antériorité par rapport à un événement ou un état futurs. On emploie alors un temps composé du futur dans la subordonnée : *Je crois qu'il **sera arrivé** avant nous* (présent + futur antérieur) ; *Je croyais qu'il **serait arrivé** avant nous* (imparfait + futur antérieur du passé).

❷ Concordance dans une subordonnée au subjonctif

■ Les rapports temporels sont aussi respectés de manière logique, mais ils se simplifient grâce à la nuance de sens du subjonctif (action ou état non réalisés).

▶ L'action ou l'état exprimés par la subordonnée ont lieu **en même temps** que ceux de la principale **ou après** → dans la langue courante, on emploie le **subjonctif présent dans la subordonnée** pour marquer la simultanéité ou la postériorité :

*Je **doute** qu'elle **vienne** ce soir ; Je **doutais** qu'elle **vienne** ce soir.*
   ind. prés.   subj. prés.   ind. imparf.   subj. prés.

▶ L'action ou l'état exprimés par la subordonnée ont lieu **avant** ceux de la principale → dans la langue courante, on emploie le **subjonctif passé dans la subordonnée** pour marquer l'antériorité :

*Je **doutais** qu'elle **soit venue** la veille au soir.*
   ind. imparf.   subj. passé

ATTENTION

■ **En langue soutenue, avec un verbe principal au passé**, la règle de concordance des temps impose le subjonctif imparfait ou le subjonctif plus-que-parfait (s'il y a antériorité), surtout à la 3e personne du singulier :

*Je doutais qu'il **vînt** ce soir-là* (ind. imparf. + subj. imparf.) ;

*Je doutais qu'elle **fût venue** la veille* (ind. imparf. + subj. plus-que-parfait).

■ Les formes avec **-ss-**, peu élégantes, tendent à être remplacées par les formes correspondantes des temps employés dans la langue courante :

*Je voulais que vous **vinssiez** → que vous **veniez*** (subj. présent au lieu du subj. imparf.) ;

*Je doutais qu'ils **eussent terminé** → qu'ils **aient terminé*** (subj. passé au lieu du subj. plus-que-parfait).

■ **Avec un verbe principal au conditionnel présent**, le verbe de la subordonnée peut, en langue soutenue, se mettre au subjonctif imparfait (au lieu du subjonctif présent employé en langue courante) ou au subjonctif plus-que-parfait (au lieu du subjonctif passé) :

*Je souhaiterais que ce pauvre homme **pût** marcher* (au lieu de : *puisse*) ;

*Je voudrais qu'on **eût terminé** avant midi* (au lieu de : *qu'on ait terminé*).

55

LES CONJUGAISONS

LES CONJUGAISONS

❶ L'indicatif présent

	1er GROUPE			2e GROUPE			3e GROUPE			
	infinitif en -er			infinitif en -ir (part. prés. en -issant)			infinitif en -ir (mais part. prés. en -ant), -oir ou -re			
1re pers. sing. je	chant	e		fin	i	s		par	s		prend	s
2e pers. sing. tu	chant	e	s	fin	i	s		par	s		prend	s
3e pers. sing. il/elle	chant	e		fin	i	t		par	t		prend	
1re pers. pl. nous	chant	ons		fin	iss	ons		part	ons		pren	ons
2e pers. pl. vous	chant	ez		fin	iss	ez		part	ez		pren	ez
3e pers. pl. ils/elles	chant	ent		fin	iss	ent		part	ent		prenn	ent

1 base : chant-	2 bases : fin- finiss-	2 bases : par- part-	3 bases : prend- pren- prenn-

▶ La caractéristique de la terminaison de la 2e personne du singulier est le **-s** final : il est présent dans tous les groupes et à tous les temps, sauf à l'impératif.

▶ Dans les trois groupes, la terminaison de la 1re personne du pluriel est **-ons**. Cette terminaison s'ajoute à la base même si celle-ci se termine par une voyelle : **créer** → nous cré**ons**.

▶ Dans le 1er et le 2e groupe, la terminaison de la 2e personne du pluriel est **-ez** ou se termine par **-ez**.

Cette terminaison est remplacée par **-es** pour certains verbes du 3e groupe : **faire** → fait**es**.

▶ Dans le 1er groupe, la 1re et la 3e personne du singulier sont identiques.

▶ Dans le 1er groupe, les trois personnes du singulier se prononcent de la même façon. Mais, à l'écrit, la 2e personne prend toujours un **-s** final.

▶ Dans les 2e et 3e groupes, la 1re et la 2e personne du singulier sont identiques et se terminent chacune par un **-s**.

❷ L'impératif présent

	1er GROUPE			2e GROUPE			3e GROUPE			
Rappel : infinitif	chant	e	r	fin	i	r	part	ir		prend	re
2e pers. sing.	chant	e		fin	i	s	par	s		prend	s
1re pers. pl.	chant	ons		fin	iss	ons	part	ons		pren	ons
2e pers. pl.	chant	e	z	fin	iss	ez	part	ez		pren	ez

▶ La conjugaison du présent de l'impératif est identique à celle du présent de l'indicatif, sauf sur un point : à la 2e personne du singulier, les verbes du 1er groupe ne prennent pas de **-s** final.

Certains verbes du 3e groupe suivent cette règle :

avoir → ai*e*   **ouvrir** → ouvr*e*
cueillir → cueill*e*   **savoir** → sach*e*.

③ L'indicatif futur simple

Rappel : infinitif	1er GROUPE			2e GROUPE				3e GROUPE					
Rappel : infinitif	chant	er		fin	ir			part	ir		prend	r	e
1re pers. sing. je	chant	er	ai	fin	ir	ai		part	ir	ai	prend	r	ai
2^e pers. sing. tu	chant	er	as	fin	ir	as		part	ir	as	prend	r	as
3e pers. sing. il/elle	chant	er	a	fin	ir	a		part	ir	a	prend	r	a
1re pers. pl. nous	chant	er	ons	fin	ir	ons		part	ir	ons	prend	r	ons
2e pers. pl. vous	chant	er	ez	fin	ir	ez		part	ir	ez	prend	r	ez
3e pers. pl. ils/elles	chant	er	ont	fin	ir	ont		part	ir	ont	prend	r	ont

▶ Le **-r-** est la caractéristique du futur : on le retrouve à toutes les personnes des trois groupes. Les terminaisons sont les mêmes pour tous les groupes.

▶ Comme à l'indicatif présent, la 2e personne du singulier se termine toujours par **-s**.

▶ Sauf pour beaucoup de verbes du 3e groupe, tout se passe comme si on ajoutait les terminaisons à l'infinitif présent.

▶ Pour les verbes du 3e groupe qui ont leur infinitif en **-re**, il suffit de retrancher le **-e** final de l'infinitif pour construire le futur simple :

boire → je **boir** ai.

Mais pour de nombreux autres verbes du 3e groupe, la base est imprévisible :

venir → je **viend** rai   **être** → je **se** rai
avoir → j'**au** rai   **faire** → je **fe** rai
vouloir → je **voud** rai   **voir** → je **ver** rai.

59

4 Le conditionnel présent

	1er GROUPE			2e GROUPE			3e GROUPE				
Rappel : futur simple 1re pers. sing. *je*	chant	er	ai	fin	ir	ai	part	ir	ai	prend	r	ai
1re pers. sing. je	chant	er	ais	fin	ir	ais	part	ir	ais	prend	r	ais
2e pers. sing. tu	chant	er	ais	fin	ir	ais	part	ir	ais	prend	r	ais
3e pers. sing. il/elle	chant	er	ait	fin	ir	ait	part	ir	ait	prend	r	ait
1re pers. pl. nous	chant	er	ions	fin	ir	ions	part	ir	ions	prend	r	ions
2e pers. pl. vous	chant	er	iez	fin	ir	iez	part	ir	iez	prend	r	iez
3e pers. pl. ils/elles	chant	er	aient	fin	ir	aient	part	ir	aient	prend	r	aient

▶ Pour tous les verbes, la base utilisée est la même que pour l'indicatif futur simple ; seules les terminaisons diffèrent.

▶ Tout se passe comme si on remplaçait les terminaisons du futur par celles de l'imparfait (voir ci-dessous) : ***chanter*** → *je chante r **ai*** (futur simple) → *je chante r **ais*** (conditionnel présent).

REMARQUE L'indicatif futur du passé a les mêmes formes que le conditionnel présent.

5 L'indicatif imparfait

	1er GROUPE		2e GROUPE		3e GROUPE			
Rappel : ind. prés. 1re pers. pl. *nous*	chant	ons	finiss	ons	part	ons	pren	ons
1re pers. sing. je	chant	**ais**	finiss	**ais**	part	**ais**	pren	**ais**
2e pers. sing. tu	chant	**ais**	finiss	**ais**	part	**ais**	pren	**ais**
3e pers. sing. il/elle	chant	ait	finiss	ait	part	ait	pren	ait
1re pers. pl. nous	chant	ions	finiss	ions	part	ions	pren	ions
2e pers. pl. vous	chant	iez	finiss	iez	part	iez	pren	iez
3e pers. pl. ils/elles	chant	aient	finiss	aient	part	aient	pren	aient

▶ À tous les groupes, la base utilisée pour toutes les personnes est celle de la 1re personne du pluriel de l'indicatif présent. Seul le verbe ***être*** fait exception.

▶ Les terminaisons sont les mêmes pour tous les groupes ; à la 1re et à la 2e personne du pluriel, les terminaisons **-ions** et **-iez** s'ajoutent à la base sans la modifier, même si celle-ci se termine par une voyelle : *nous balay**i**ons, nous étud**ii**ons.*

▶ Mais ces terminaisons imposent à la base de certains verbes l'ajout d'une cédille au **-c-** ou l'ajout d'un **-e-** après **-g-** pour leur garder un son doux :

placer → *nous pla**ç**ons* (base : **plaç-**) ; *nous pla**c**ions* (base : **plac-**) ;

manger → *nous man**ge**ons* (base : **mange-**) ; *nous man**g**ions* (base : **mang-**).

⑥ Le subjonctif présent

	1er GROUPE		2e GROUPE		3e GROUPE				
Rappel : ind. prés. **3e pers. sing.** ils/elles	chant	e	nt	finiss	e	nt	part	e	nt	prenn	e	nt

		1er GROUPE		2e GROUPE		3e GROUPE				
1re pers. sing. que je	chant	e		finiss	e		part	e		prenn	e
2e pers. sing. que tu	chant	e	s	finiss	e	s	part	e	s	prenn	e	s
3e pers. sing. qu'il/elle	chant	e		finiss	e		part	e		prenn	e
1re pers. pl. que nous	chant	i	ons	finiss	i	ons	part	i	ons	pren	i	ons
2e pers. pl. que vous	chant	i	ez	finiss	i	ez	part	i	ez	pren	i	ez
3e pers. pl. qu'ils/elles	chant	e	nt	finiss	e	nt	part	e	nt	prenn	e	nt

▶ Les terminaisons sont les mêmes pour tous les verbes des trois groupes.

▶ Comme à l'indicatif imparfait, le **-i-** caractéristique des terminaisons des 1re et 2e personnes du pluriel s'ajoute à la base, même si celle-ci se termine par une voyelle : *que nous bala**yi**ons, que nous étud**ii**ons.*

▶ Aux trois personnes du singulier de tous les groupes, les terminaisons sont les mêmes que celles de l'indicatif présent du 1er groupe.

▶ Pour certains verbes très courants du 3e groupe, à l'oral, l'indicatif présent et le subjonctif présent semblent être le même temps aux trois premières personnes du singulier et à la 3e personne du pluriel. À l'écrit, leurs terminaisons les distinguent au singulier : *je, tu voi**s**, on voi**t**,* mais *que je voi**e**, que tu voi**es**, qu'on voi**e**.*

⑦ L'indicatif passé simple

	1er GROUPE		2e GROUPE		3e GROUPE				
Rappel : infinitif	chant	e	r	fin	i	r	part	i	r	boi	r	e

		1er GROUPE		2e GROUPE		3e GROUPE				
1re pers. sing. je	chant	a	i	fin	i	s	part	i	s	b	u	s
2e pers. sing. tu	chant	a	s	fin	i	s	part	i	s	b	u	s
3e pers. sing. il/elle	chant	a		fin	i	t	part	i	t	b	u	t
1re pers. pl. nous	chant	â	mes	fin	î	mes	part	î	mes	b	û	mes
2e pers. pl. vous	chant	â	tes	fin	î	tes	part	î	tes	b	û	tes
3e pers. pl. ils/elles	chant	è	rent	fin	i	rent	part	i	rent	b	u	rent

▶ Au pluriel, la seule différence de terminaison entre les trois groupes est la voyelle :

1er groupe → *-a-* (et *-è-* à la 3e personne)

2e groupe → *-i-* partout

3e groupe → *-i-* ou *-u-* partout, selon les verbes.

Il y a toujours un accent circonflexe sur la voyelle aux 1re et 2e personnes.

▶ Au singulier, les consonnes finales de la terminaison sont les mêmes pour le 2e et le 3e groupe. Seul le 1er groupe est différent : à la 1re et à la 3e personne, il n'y a pas de consonne finale, comme à l'indicatif présent.

▶ Une seule et même base est utilisée pour construire toutes les formes de chaque verbe. Pour les verbes du 1er et du 2e groupe, c'est celle du présent de l'indicatif. La base des verbes du 3e groupe est moins prévisible mais est souvent la même que celle du participe passé ; on retrouve la voyelle caractéristique *-i-* ou *-u-* : *couru, je courus ; pris, je pris* mais *vu, je vis*.

⑧ Le subjonctif imparfait

		1er GROUPE		2e GROUPE		3e GROUPE			
Rappel : ind. passé simple *2e pers. sing.*	tu	chant	a s	fin	i s	part	i s	b	u s
1re pers. sing.	que je	chant	a sse	fin	i sse	part	i sse	b	u sse
2e pers. sing.	que tu	chant	a sses	fin	i sses	part	i sses	b	u sses
3e pers. sing.	qu'il/elle	chant	â t	fin	î t	part	î t	b	û t
1re pers. pl.	que nous	chant	a ssions	fin	i ssions	part	i ssions	b	u ssions
2e pers. pl.	que vous	chant	a ssiez	fin	i ssiez	part	i ssiez	b	u ssiez
3e pers. pl.	qu'ils/elles	chant	a ssent	fin	i ssent	part	i ssent	b	u ssent

▶ Pour tous les verbes, la base est celle du passé simple de l'indicatif. Pour la trouver, on retranche le *-s* final de la 2e personne du singulier du passé simple. On ajoute ensuite les terminaisons suivantes :

	singulier	pluriel
1re personne	-sse	-ssions
2e personne	-sses	-ssiez
3e personne	-accent circonflexe sur la voyelle + *-t*	-ssent

▶ À tous les groupes, les 3es personnes du singulier de l'indicatif passé simple et du subjonctif imparfait ont la même prononciation. Mais elles se distinguent à l'écrit par l'accent circonflexe ainsi que par le *-t* au 1er groupe :

ind. passé simple : il/elle chanta   **subj. imparfait** : qu'il/elle chantât.

■ C'est toujours l'auxiliaire *être* qui est employé.
Attention : aux temps composés, *être* construit ses formes avec l'auxiliaire *avoir* (*j'ai été*). *Été* est toujours invariable.

■ Le participe passé d'un verbe conjugué à la voix passive s'accorde toujours avec le sujet : *Marie est aimée de ses collègues.*

Infinitif

présent	passé
être aimé/ée, aimés/ées	avoir été aimé/ée/és/ées

Participe

présent	passé
étant aimé/ée/és/ées	ayant été aimé/ée/és/ées

Indicatif

présent

je	suis aimé(e)	
tu	es aimé(e)	
il/elle	est aimé(e)	
nous	sommes aimé(e)s	
vous	êtes aimé(e)s	
ils/elles	sont aimé(e)s	

passé composé

j'	ai	été aimé(e)
tu	as	été aimé(e)
il/elle	a	été aimé(e)
nous	avons	été aimé(e)s
vous	avez	été aimé(e)s
ils/elles	ont	été aimé(e)s

imparfait

j'	étais aimé(e)
tu	étais aimé(e)
il/elle	était aimé(e)
nous	étions aimé(e)s
vous	étiez aimé(e)s
ils/elles	étaient aimé(e)s

plus-que-parfait

j'	avais	été aimé(e)
tu	avais	été aimé(e)
il/elle	avait	été aimé(e)
nous	avions	été aimé(e)s
vous	aviez	été aimé(e)s
ils/elles	avaient	été aimé(e)s

futur simple

je	serai aimé(e)
tu	seras aimé(e)
il/elle	sera aimé(e)
nous	serons aimé(e)s
vous	serez aimé(e)s
ils/elles	seront aimé(e)s

futur antérieur

j'	aurai	été aimé(e)
tu	auras	été aimé(e)
il/elle	aura	été aimé(e)
nous	aurons	été aimé(e)s
vous	aurez	été aimé(e)s
ils/elles	auront	été aimé(e)s

passé simple

je	fus aimé(e)
tu	fus aimé(e)
il/elle	fut aimé(e)
nous	fûmes aimé(e)s
vous	fûtes aimé(e)s
ils/elles	furent aimé(e)s

passé antérieur

j'	eus	été aimé(e)
tu	eus	été aimé(e)
il/elle	eut	été aimé(e)
nous	eûmes	été aimé(e)s
vous	eûtes	été aimé(e)s
ils/elles	eurent	été aimé(e)s

Subjonctif

présent

que	je	sois	aimé(e)
que	tu	sois	aimé(e)
qu'	il/elle	soit	aimé(e)
que	nous	soyons	aimé(e)s
que	vous	soyez	aimé(e)s
qu'	ils/elles	soient	aimé(e)s

imparfait

que	je	fusse	aimé(e)
que	tu	fusses	aimé(e)
qu'	il/elle	fût	aimé(e)
que	nous	fussions	aimé(e)s
que	vous	fussiez	aimé(e)s
qu'	ils/elles	fussent	aimé(e)s

passé

que	j'	aie	été	aimé(e)
que	tu	aies	été	aimé(e)
qu'	il/elle	ait	été	aimé(e)
que	nous	ayons	été	aimé(e)s
que	vous	ayez	été	aimé(e)s
qu'	ils/elles	aient	été	aimé(e)s

plus-que-parfait

que	j'	eusse	été	aimé(e)
que	tu	eusses	été	aimé(e)
qu'	il/elle	eût	été	aimé(e)
que	nous	eussions	été	aimé(e)s
que	vous	eussiez	été	aimé(e)s
qu'	ils/elles	eussent	été	aimé(e)s

Conditionnel

présent

je	serais aimé(e)
tu	serais aimé(e)
il/elle	serait aimé(e)
nous	serions aimé(e)s
vous	seriez aimé(e)s
ils/elles	seraient aimé(e)s

passé

j'	aurais	été aimé(e)
tu	aurais	été aimé(e)
il/elle	aurait	été aimé(e)
nous	aurions	été aimé(e)s
vous	auriez	été aimé(e)s
ils/elles	auraient	été aimé(e)s

Impératif

présent

sois aimé(e)
soyons aimé(e)s
soyez aimé(e)s

passé

aie	été	aimé(e)
ayons	été	aimé(e)s
ayez	été	aimé(e)s

■ C'est toujours l'auxiliaire *être* qui est employé pour construire les formes composées.

■ Il arrive que le participe passé ne s'accorde pas avec le sujet *(voir fiche 11-3 : « Verbes à la voix pronominale »).*

Infinitif

présent	passé
s'amuser	s'être amusé/ée/és/ées

Participe

présent	passé
s'amusant	s'étant amusé/ée
	s'étant amusés/ées

Indicatif

présent

je	m'amuse
tu	t'amuses
il/elle	s'amuse
nous	nous amusons
vous	vous amusez
ils/elles	s'amusent

passé composé

je	me suis amusé(e)
tu	t'es amusé(e)
il/elle	s'est amusé(e)
nous	nous sommes amusé(e)s
vous	vous êtes amusé(e)s
ils/elles	se sont amusé(e)s

imparfait

je	m'amusais
tu	t'amusais
il/elle	s'amusait
nous	nous amusions
vous	vous amusiez
ils/elles	s'amusaient

plus-que-parfait

je	m'étais amusé(e)
tu	t'étais amusé(e)
il/elle	s'était amusé(e)
nous	nous étions amusé(e)s
vous	vous étiez amusé(e)s
ils/elles	s'étaient amusé(e)s

futur simple

je	m'amuserai
tu	t'amuseras
il/elle	s'amusera
nous	nous amuserons
vous	vous amuserez
ils/elles	s'amuseront

futur antérieur

je	me serai amusé(e)
tu	te seras amusé(e)
il/elle	se sera amusé(e)
nous	nous serons amusé(e)s
vous	vous serez amusé(e)s
ils/elles	se seront amusé(e)s

passé simple

je	m'amusai
tu	t'amusas
il/elle	s'amusa
nous	nous amusâmes
vous	vous amusâtes
ils/elles	s'amusèrent

passé antérieur

je	me fus amusé(e)
tu	te fus amusé(e)
il/elle	se fut amusé(e)
nous	nous fûmes amusé(e)s
vous	vous fûtes amusé(e)s
ils/elles	se furent amusé(e)s

Subjonctif

présent

que	je	m'amuse
que	tu	t'amuses
qu'	il/elle	s'amuse
que	nous	nous amusions
que	vous	vous amusiez
qu'	ils/elles	s'amusent

imparfait

que	je	m'amusasse
que	tu	t'amusasses
qu'	il/elle	s'amusât
que	nous	nous amusassions
que	vous	vous amusassiez
qu'	ils/elles	s'amusassent

passé

que	je	me sois amusé(e)
que	tu	te sois amusé(e)
qu'	il/elle	se soit amusé(e)
que	nous	nous soyons amusé(e)s
que	vous	vous soyez amusé(e)s
qu'	ils/elles	se soient amusé(e)s

passé

que	je	me fusse amusé(e)
que	tu	te fusses amusé(e)
qu'	il/elle	se fût amusé(e)
que	nous	nous fussions amusé(e)s
que	vous	vous fussiez amusé(e)s
qu'	ils/elles	se fussent amusé(e)s

Conditionnel

présent

je	m'amuserais
tu	t'amuserais
il/elle	s'amuserait
nous	nous amuserions
vous	vous amuseriez
ils/elles	s'amuseraient

passé

je	me serais amusé(e)
tu	te serais amusé(e)
il/elle	se serait amusé(e)
nous	nous serions amusé(e)s
vous	vous seriez amusé(e)s
ils/elles	se seraient amusé(e)s

Impératif

présent	passé
amuse-toi	*inusité*
amusons-nous	
amusez-vous	

■ Attention : la place de *pas* varie selon les temps.

■ À la voix pronominale, tout se passe comme si le 2ᵉ pronom faisait partie du verbe : *ne pas se tromper, ne pas s'être trompé/ée/és/ées, elle ne se trompe pas, je ne me suis pas trompé/ée...*

Infinitif

présent
ne pas pleurer

passé
ne pas avoir pleuré

Participe

présent
ne pleurant pas

passé
n'ayant pas pleuré

Indicatif

présent

je	ne pleure pas
tu	ne pleures pas
il/elle	ne pleure pas
nous	ne pleurons pas
vous	ne pleurez pas
ils/elles	ne pleurent pas

passé composé

je	n'ai	pas pleuré
tu	n'as	pas pleuré
il/elle	n'a	pas pleuré
nous	n'avons	pas pleuré
vous	n'avez	pas pleuré
ils/elles	n'ont	pas pleuré

imparfait

je	ne pleurais pas
tu	ne pleurais pas
il/elle	ne pleurait pas
nous	ne pleurions pas
vous	ne pleuriez pas
ils/elles	ne pleuraient pas

plus-que-parfait

je	n'avais	pas pleuré
tu	n'avais	pas pleuré
il/elle	n'avait	pas pleuré
nous	n'avions	pas pleuré
vous	n'aviez	pas pleuré
ils/elles	n'avaient	pas pleuré

futur simple

je	ne pleurerai pas
tu	ne pleureras pas
il/elle	ne pleurera pas
nous	ne pleurerons pas
vous	ne pleurerez pas
ils/elles	ne pleureront pas

futur antérieur

je	n'aurai	pas pleuré
tu	n'auras	pas pleuré
il/elle	n'aura	pas pleuré
nous	n'aurons	pas pleuré
vous	n'aurez	pas pleuré
ils/elles	n'auront	pas pleuré

passé simple

je	ne pleurai pas
tu	ne pleuras pas
il/elle	ne pleura pas
nous	ne pleurâmes pas
vous	ne pleurâtes pas
ils/elles	ne pleurèrent pas

passé antérieur

je	n'eus	pas pleuré
tu	n'eus	pas pleuré
il/elle	n'eut	pas pleuré
nous	n'eûmes	pas pleuré
vous	n'eûtes	pas pleuré
ils/elles	n'eurent	pas pleuré

Subjonctif

présent

que	je	ne pleure pas
que	tu	ne pleures pas
qu'	il/elle	ne pleure pas
que	nous	ne pleurions pas
que	vous	ne pleuriez pas
qu'	ils/elles	ne pleurent pas

imparfait

que	je	ne pleurasse pas
que	tu	ne pleurasses pas
qu'	il/elle	ne pleurât pas
que	nous	ne pleurassions pas
que	vous	ne pleurassiez pas
qu'	ils/elles	ne pleurassent pas

passé

que	je	n'aie	pas pleuré
que	tu	n'aies	pas pleuré
qu'	il/elle	n'ait	pas pleuré
que	nous	n'ayons	pas pleuré
que	vous	n'ayez	pas pleuré
qu'	ils/elles	n'aient	pas pleuré

plus-que-parfait

que	je	n'eusse	pas pleuré
que	tu	n'eusses	pas pleuré
qu'	il/elle	n'eût	pas pleuré
que	nous	n'eussions	pas pleuré
que	vous	n'eussiez	pas pleuré
qu'	ils/elles	n'eussent	pas pleuré

Conditionnel

présent

je	ne pleurerais pas
tu	ne pleurerais pas
il/elle	ne pleurerait pas
nous	ne pleurerions pas
vous	ne pleureriez pas
ils/elles	ne pleureraient pas

passé

je	n'aurais	pas pleuré
tu	n'aurais	pas pleuré
il/elle	n'aurait	pas pleuré
nous	n'aurions	pas pleuré
vous	n'auriez	pas pleuré
ils/elles	n'auraient	pas pleuré

Impératif

présent
ne pleure pas
ne pleurons pas
ne pleurez pas

passé

n'aie	pas pleuré
n'ayons	pas pleuré
n'ayez	pas pleuré

■ Le sujet pronom est placé après le verbe. Il est relié à la forme verbale par un trait d'union.

■ À la 3e pers. du sing., un *-t-* est ajouté si la forme verbale se termine par une voyelle : *reste-t-il du pain ?* (on l'appelle *-t-* euphonique : il évite une sonorité désagréable).

■ À la 1re pers. du sing. de l'ind. prés. des verbes du 1er groupe, la terminaison devient *-é* mais cette forme est peu employée. L'inversion n'a pas lieu aux 2e et 3e groupes.

Infinitif

présent	passé
rester	être resté/ée/és/ées

Participe

présent	passé
restant	étant resté/ée/és/ées

Indicatif

présent

resté-je ? *(rare)*	suis-je	resté(e) ?
restes-tu ?	es-tu	resté(e) ?
reste-t-il/elle ?	est-il/elle	resté(e) ?
restons-nous ?	sommes-nous	resté(e)s ?
restez-vous ?	êtes-vous	resté(e)s ?
restent-ils/elles ?	sont-ils/elles	resté(e)s ?

passé composé (colonne de droite)

imparfait

restais-je ?	étais-je	resté(e) ?
restais-tu ?	étais-tu	resté(e) ?
restait-il/elle ?	était-il/elle	resté(e) ?
restions-nous ?	étions-nous	resté(e)s ?
restiez-vous ?	étiez-vous	resté(e)s ?
restaient-ils/elles ?	étaient-ils/elles	resté(e)s ?

plus-que-parfait

futur simple

resterai-je ?	serai-je	resté(e) ?
resteras-tu ?	seras-tu	resté(e) ?
restera-t-il/elle ?	sera-t-il/elle	resté(e) ?
resterons-nous ?	serons-nous	resté(e)s ?
resterez-vous ?	serez-vous	resté(e)s ?
resteront-ils/elles ?	seront-ils/elles	resté(e)s ?

futur antérieur

passé simple

restai-je ?	fus-je	resté(e) ?
restas-tu ?	fus-tu	resté(e) ?
resta-t-il/elle ?	fut-il/elle	resté(e) ?
restâmes-nous ?	fûmes-nous	resté(e)s ?
restâtes-vous ?	fûtes-vous	resté(e)s ?
restèrent-ils/elles ?	furent-ils/elles	resté(e)s ?

passé antérieur

Subjonctif

présent
n'existe pas

imparfait
n'existe pas

passé
n'existe pas

plus-que-parfait
n'existe pas

Conditionnel

présent

resterais-je ?	serais-je	resté(e) ?
resterais-tu ?	serais-tu	resté(e) ?
resterait-il/elle ?	serait-il/elle	resté(e) ?
resterions-nous ?	serions-nous	resté(e)s ?
resteriez-vous ?	seriez-vous	resté(e)s ?
resteraient-ils/elles ?	seraient-ils/elles	resté(e)s ?

passé

Impératif

présent	passé
n'existe pas	*n'existe pas*

■ Sert d'auxiliaire de conjugaison pour toutes les formes de la voix passive et pour les temps composés de la voix pronominale et de certains verbes à la voix active.

■ Participe passé toujours invariable.

Infinitif

présent
être

passé
avoir été

Participe

présent
étant

passé
été
ayant été

Indicatif

présent

je	suis
tu	es
il/elle	est
nous	sommes
vous	êtes
ils/elles	sont

passé composé

j'	ai	été
tu	as	été
il/elle	a	été
nous	avons	été
vous	avez	été
ils/elles	ont	été

imparfait

j'	étais
tu	étais
il/elle	était
nous	étions
vous	étiez
ils/elles	étaient

plus-que-parfait

j'	avais	été
tu	avais	été
il/elle	avait	été
nous	avions	été
vous	aviez	été
ils/elles	avaient	été

futur simple

je	serai
tu	seras
il/elle	sera
nous	serons
vous	serez
ils/elles	seront

futur antérieur

j'	aurai	été
tu	auras	été
il/elle	aura	été
nous	aurons	été
vous	aurez	été
ils/elles	auront	été

passé simple

je	fus
tu	fus
il/elle	fut
nous	fûmes
vous	fûtes
ils/elles	furent

passé antérieur

j'	eus	été
tu	eus	été
il/elle	eut	été
nous	eûmes	été
vous	eûtes	été
ils/elles	eurent	été

Subjonctif

présent

que	je	sois
que	tu	sois
qu'	il/elle	soit
que	nous	soyons
que	vous	soyez
qu'	ils/elles	soient

imparfait

que	je	fusse
que	tu	fusses
qu'	il/elle	fût
que	nous	fussions
que	vous	fussiez
qu'	ils/elles	fussent

passé

que	j'	aie	été
que	tu	aies	été
qu'	il/elle	ait	été
que	nous	ayons	été
que	vous	ayez	été
qu'	ils/elles	aient	été

plus-que-parfait

que	j'	eusse	été
que	tu	eusses	été
qu'	il/elle	eût	été
que	nous	eussions	été
que	vous	eussiez	été
qu'	ils/elles	eussent	été

Conditionnel

présent

je	serais
tu	serais
il/elle	serait
nous	serions
vous	seriez
ils/elles	seraient

passé

j'	aurais	été
tu	aurais	été
il/elle	aurait	été
nous	aurions	été
vous	auriez	été
ils/elles	auraient	été

Impératif

présent

sois
soyons
soyez

passé

aie	été
ayons	été
ayez	été

1 ÊTRE

2 AVOIR

■ Sert d'auxiliaire de conjugaison pour les temps composés de la plupart des verbes à la voix active.

■ Emploi impersonnel : *il y a, il y aura, qu'il y ait,* etc. (= *il existe*...).

Infinitif

présent	passé
avoir	avoir eu

Participe

présent	passé
ayant	eu/eue, eus/eues
	ayant eu

Indicatif

présent

j'	ai
tu	as
il/elle	a
nous	avons
vous	avez
ils/elles	ont

passé composé

j'	ai	eu
tu	as	eu
il/elle	a	eu
nous	avons	eu
vous	avez	eu
ils/elles	ont	eu

imparfait

j'	avais
tu	avais
il/elle	avait
nous	avions
vous	aviez
ils/elles	avaient

plus-que-parfait

j'	avais	eu
tu	avais	eu
il/elle	avait	eu
nous	avions	eu
vous	aviez	eu
ils/elles	avaient	eu

futur simple

j'	aurai
tu	auras
il/elle	aura
nous	aurons
vous	aurez
ils/elles	auront

futur antérieur

j'	aurai	eu
tu	auras	eu
il/elle	aura	eu
nous	aurons	eu
vous	aurez	eu
ils/elles	auront	eu

passé simple

j'	eus
tu	eus
il/elle	eut
nous	eûmes
vous	eûtes
ils/elles	eurent

passé antérieur

j'	eus	eu
tu	eus	eu
il/elle	eut	eu
nous	eûmes	eu
vous	eûtes	eu
ils/elles	eurent	eu

Subjonctif

présent

que	j'	aie
que	tu	aies
qu'	il/elle	ait
que	nous	ayons
que	vous	ayez
qu'	ils/elles	aient

imparfait

que	j'	eusse
que	tu	eusses
qu'	il/elle	eût
que	nous	eussions
que	vous	eussiez
qu'	ils/elles	eussent

passé

que	j'	aie	eu
que	tu	aies	eu
qu'	il/elle	ait	eu
que	nous	ayons	eu
que	vous	ayez	eu
qu'	ils/elles	aient	eu

plus-que-parfait

que	j'	eusse	eu
que	tu	eusses	eu
qu'	il/elle	eût	eu
que	nous	eussions	eu
que	vous	eussiez	eu
qu'	ils/elles	eussent	eu

Conditionnel

présent

j'	aurais
tu	aurais
il/elle	aurait
nous	aurions
vous	auriez
ils/elles	auraient

passé

j'	aurais	eu
tu	aurais	eu
il/elle	aurait	eu
nous	aurions	eu
vous	auriez	eu
ils/elles	auraient	eu

Impératif

présent	passé	
aie	aie	eu
ayons	ayons	eu
ayez	ayez	eu

ALLER 3

■ Il n'y a pas de -s final à la 2e pers. du sing. de l'impératif présent, sauf dans *vas-y* (-s- euphonique).

■ Temps composés formés avec *être*.

■ *Aller* sert d'auxiliaire pour le futur proche : *je vais partir* (= *je suis sur le point de partir*).

■ Attention à l'ordre des mots dans *s'en aller*. À l'impératif : *va-t'en, allons-nous-en, allez-vous-en* ; aux temps composés, *en* se place en principe avant l'auxiliaire : *je m'en suis allé/ée*.

Infinitif

présent	passé
aller	être allé/ée, és/ées

Participe

présent	passé
allant	allé/ée, és/ées
	étant allé/ée, és/ées

Indicatif

présent		passé composé		
je	vais	je	suis	allé(e)
tu	vas	tu	es	allé(e)
il/elle	va	il/elle	est	allé(e)
nous	allons	nous	sommes	allé(e)s
vous	allez	vous	êtes	allé(e)s
ils/elles	vont	ils/elles	sont	allé(e)s

imparfait		plus-que-parfait		
j'	allais	j'	étais	allé(e)
tu	allais	tu	étais	allé(e)
il/elle	allait	il/elle	était	allé(e)
nous	allions	nous	étions	allé(e)s
vous	alliez	vous	étiez	allé(e)s
ils/elles	allaient	ils/elles	étaient	allé(e)s

futur simple		futur antérieur		
j'	irai	je	serai	allé(e)
tu	iras	tu	seras	allé(e)
il/elle	ira	il/elle	sera	allé(e)
nous	irons	nous	serons	allé(e)s
vous	irez	vous	serez	allé(e)s
ils/elles	iront	ils/elles	seront	allé(e)s

passé simple		passé antérieur		
j'	allai	je	fus	allé(e)
tu	allas	tu	fus	allé(e)
il/elle	alla	il/elle	fut	allé(e)
nous	allâmes	nous	fûmes	allé(e)s
vous	allâtes	vous	fûtes	allé(e)s
ils/elles	allèrent	ils/elles	furent	allé(e)s

Subjonctif

présent		
que	j'	aille
que	tu	ailles
qu'	il/elle	aille
que	nous	allions
que	vous	alliez
qu'	ils/elles	aillent

imparfait		
que	j'	allasse
que	tu	allasses
qu'	il/elle	allât
que	nous	allassions
que	vous	allassiez
qu'	ils/elles	allassent

passé			
que	je	sois	allé(e)
que	tu	sois	allé(e)
qu'	il/elle	soit	allé(e)
que	nous	soyons	allé(e)s
que	vous	soyez	allé(e)s
qu'	ils/elles	soient	allé(e)s

plus-que-parfait			
que	je	fusse	allé(e)
que	tu	fusses	allé(e)
qu'	il/elle	fût	allé(e)
que	nous	fussions	allé(e)s
que	vous	fussiez	allé(e)s
qu'	ils/elles	fussent	allé(e)s

Conditionnel

présent		passé		
j'	irais	je	serais	allé(e)
tu	irais	tu	serais	allé(e)
il/elle	irait	il/elle	serait	allé(e)
nous	irions	nous	serions	allé(e)s
vous	iriez	vous	seriez	allé(e)s
ils/elles	iraient	ils/elles	seraient	allé(e)s

Impératif

présent	passé	
va	sois	allé(e)
allons	soyons	allé(e)s
allez	soyez	allé(e)s

3e GROUPE

■ *Venir* sert d'auxiliaire de conjugaison pour le passé proche : *je viens d'arriver* (= je suis arrivé/ée à l'instant).

■ C'est l'auxiliaire *être* qui sert à former les temps composés.

■ Se conjuguent sur ce modèle : les dérivés de *venir* (mais *circonvenir, prévenir* et *subvenir* sont conjugués avec *avoir*) ; *tenir* et ses dérivés (*retenir, contenir*...), conjugués aussi avec *avoir*.

Infinitif

présent	passé
venir	être venu/ue, us/ues

Participe

présent	passé
venant	venu/ue, us/ues
	étant venu/ue, us/ues

Indicatif

présent

je	viens
tu	viens
il/elle	vient
nous	venons
vous	venez
ils/elles	viennent

passé composé

je	suis	venu(e)
tu	es	venu(e)
il/elle	est	venu(e)
nous	sommes	venu(e)s
vous	êtes	venu(e)s
ils/elles	sont	venu(e)s

imparfait

je	venais
tu	venais
il/elle	venait
nous	venions
vous	veniez
ils/elles	venaient

plus-que-parfait

j'	étais	venu(e)
tu	étais	venu(e)
il/elle	était	venu(e)
nous	étions	venu(e)s
vous	étiez	venu(e)s
ils/elles	étaient	venu(e)s

futur simple

je	viendrai
tu	viendras
il/elle	viendra
nous	viendrons
vous	viendrez
ils/elles	viendront

futur antérieur

je	serai	venu(e)
tu	seras	venu(e)
il/elle	sera	venu(e)
nous	serons	venu(e)s
vous	serez	venu(e)s
ils/elles	seront	venu(e)s

passé simple

je	vins
tu	vins
il/elle	vint
nous	vînmes
vous	vîntes
ils/elles	vinrent

passé antérieur

je	fus	venu(e)
tu	fus	venu(e)
il/elle	fut	venu(e)
nous	fûmes	venu(e)s
vous	fûtes	venu(e)s
ils/elles	furent	venu(e)s

Subjonctif

présent

que je	vienne
que tu	viennes
qu' il/elle	vienne
que nous	venions
que vous	veniez
qu' ils/elles	viennent

imparfait

que je	vinsse
que tu	vinsses
qu' il/elle	vînt
que nous	vinssions
que vous	vinssiez
qu' ils/elles	vinssent

passé

que	je	sois	venu(e)
que	tu	sois	venu(e)
qu'	il/elle	soit	venu(e)
que	nous	soyons	venu(e)s
que	vous	soyez	venu(e)s
qu'	ils/elles	soient	venu(e)s

plus-que-parfait

que	je	fusse	venu(e)
que	tu	fusses	venu(e)
qu'	il/elle	fût	venu(e)
que	nous	fussions	venu(e)s
que	vous	fussiez	venu(e)s
qu'	ils/elles	fussent	venu(e)s

Conditionnel

présent

je	viendrais
tu	viendrais
il/elle	viendrait
nous	viendrions
vous	viendriez
ils/elles	viendraient

passé

je	serais	venu(e)
tu	serais	venu(e)
il/elle	serait	venu(e)
nous	serions	venu(e)s
vous	seriez	venu(e)s
ils/elles	seraient	venu(e)s

Impératif

présent	passé	
viens	sois	venu(e)
venons	soyons	venu(e)s
venez	soyez	venu(e)s

FAIRE 5

■ Attention à l'orthographe de certaines formes de l'indicatif : on entend un -e- muet mais on écrit -ai- devant un -s- prononcé.

■ Emploi impersonnel : *il fait chaud, il fait nuit...*

■ Se conjuguent sur ce modèle : tous les dérivés de *faire* (*défaire, refaire, satisfaire...*).

Infinitif

présent	passé
faire	avoir fait

Participe

présent	passé
faisant	fait/faite, faits/faites
	ayant fait

Indicatif

présent

je	fais
tu	fais
il/elle	fait
nous	faisons
vous	faites
ils/elles	font

passé composé

j'	ai	fait
tu	as	fait
il/elle	a	fait
nous	avons	fait
vous	avez	fait
ils/elles	ont	fait

imparfait

je	faisais
tu	faisais
il/elle	faisait
nous	faisions
vous	faisiez
ils/elles	faisaient

plus-que-parfait

j'	avais	fait
tu	avais	fait
il/elle	avait	fait
nous	avions	fait
vous	aviez	fait
ils/elles	avaient	fait

futur simple

je	ferai
tu	feras
il/elle	fera
nous	ferons
vous	ferez
ils/elles	feront

futur antérieur

j'	aurai	fait
tu	auras	fait
il/elle	aura	fait
nous	aurons	fait
vous	aurez	fait
ils/elles	auront	fait

passé simple

je	fis
tu	fis
il/elle	fit
nous	fîmes
vous	fîtes
ils/elles	firent

passé antérieur

j'	eus	fait
tu	eus	fait
il/elle	eut	fait
nous	eûmes	fait
vous	eûtes	fait
ils/elles	eurent	fait

Subjonctif

présent

que	je	fasse
que	tu	fasses
qu'	il/elle	fasse
que	nous	fassions
que	vous	fassiez
qu'	ils/elles	fassent

imparfait

que	je	fisse
que	tu	fisses
qu'	il/elle	fît
que	nous	fissions
que	vous	fissiez
qu'	ils/elles	fissent

passé

que	j'	aie	fait
que	tu	aies	fait
qu'	il/elle	ait	fait
que	nous	ayons	fait
que	vous	ayez	fait
qu'	ils/elles	aient	fait

plus-que-parfait

que	j'	eusse	fait
que	tu	eusses	fait
qu'	il/elle	eût	fait
que	nous	eussions	fait
que	vous	eussiez	fait
qu'	ils/elles	eussent	fait

Conditionnel

présent

je	ferais
tu	ferais
il/elle	ferait
nous	ferions
vous	feriez
ils/elles	feraient

passé

j'	aurais	fait
tu	aurais	fait
il/elle	aurait	fait
nous	aurions	fait
vous	auriez	fait
ils/elles	auraient	fait

Impératif

présent	passé	
fais	aie	fait
faisons	ayons	fait
faites	ayez	fait

■ Attention aux deux -t- devant une voyelle et devant un -r-.

■ Se conjuguent sur ce modèle : tous les dérivés de *mettre* (*admettre, compromettre, omettre, promettre, transmettre...*).

Infinitif

présent	passé
mettre	avoir mis

Participe

présent	passé
mettant	mis/mise, mis/mises
	ayant mis

Indicatif

présent

je	mets
tu	mets
il/elle	met
nous	mettons
vous	mettez
ils/elles	mettent

passé composé

j'	ai	mis
tu	as	mis
il/elle	a	mis
nous	avons	mis
vous	avez	mis
ils/elles	ont	mis

imparfait

je	mettais
tu	mettais
il/elle	mettait
nous	mettions
vous	mettiez
ils/elles	mettaient

plus-que-parfait

j'	avais	mis
tu	avais	mis
il/elle	avait	mis
nous	avions	mis
vous	aviez	mis
ils/elles	avaient	mis

futur simple

je	mettrai
tu	mettras
il/elle	mettra
nous	mettrons
vous	mettrez
ils/elles	mettront

futur antérieur

j'	aurai	mis
tu	auras	mis
il/elle	aura	mis
nous	aurons	mis
vous	aurez	mis
ils/elles	auront	mis

passé simple

je	mis
tu	mis
il/elle	mit
nous	mîmes
vous	mîtes
ils/elles	mirent

passé antérieur

j'	eus	mis
tu	eus	mis
il/elle	eut	mis
nous	eûmes	mis
vous	eûtes	mis
ils/elles	eurent	mis

Subjonctif

présent

que	je	mette
que	tu	mettes
qu'	il/elle	mette
que	nous	mettions
que	vous	mettiez
qu'	ils/elles	mettent

imparfait

que	je	misse
que	tu	misses
qu'	il/elle	mît
que	nous	missions
que	vous	missiez
qu'	ils/elles	missent

passé

que	j'	aie	mis
que	tu	aies	mis
qu'	il/elle	ait	mis
que	nous	ayons	mis
que	vous	ayez	mis
qu'	ils/elles	aient	mis

plus-que-parfait

que	j'	eusse	mis
que	tu	eusses	mis
qu'	il/elle	eût	mis
que	nous	eussions	mis
que	vous	eussiez	mis
qu'	ils/elles	eussent	mis

Conditionnel

présent

je	mettrais
tu	mettrais
il/elle	mettrait
nous	mettrions
vous	mettriez
ils/elles	mettraient

passé

j'	aurais	mis
tu	aurais	mis
il/elle	aurait	mis
nous	aurions	mis
vous	auriez	mis
ils/elles	auraient	mis

Impératif

présent	passé	
mets	aie	mis
mettons	ayons	mis
mettez	ayez	mis

■ Terminaison -*x* (et non -*s*) aux deux premières personnes de l'indicatif présent.

■ Deux -*r*- au futur simple et au conditionnel présent.

■ Participe passé invariable.

■ À la tournure interrogative, la 1ʳᵉ pers. de l'indicatif présent devient *puis* : *puis-je ?* (= est-ce que je peux ?).

■ L'impératif présent est remplacé par le subjonctif de souhait : *puisses-tu...*

Infinitif

présent	passé
pouvoir	avoir pu

Participe

présent	passé
pouvant	pu
	ayant pu

Indicatif

présent		passé composé		
je	peux/puis	j'	ai	pu
tu	peux	tu	as	pu
il/elle	peut	il/elle	a	pu
nous	pouvons	nous	avons	pu
vous	pouvez	vous	avez	pu
ils/elles	peuvent	ils/elles	ont	pu

imparfait		plus-que-parfait		
je	pouvais	j'	avais	pu
tu	pouvais	tu	avais	pu
il/elle	pouvait	il/elle	avait	pu
nous	pouvions	nous	avions	pu
vous	pouviez	vous	aviez	pu
ils/elles	pouvaient	ils/elles	avaient	pu

futur simple		futur antérieur		
je	pourrai	j'	aurai	pu
tu	pourras	tu	auras	pu
il/elle	pourra	il/elle	aura	pu
nous	pourrons	nous	aurons	pu
vous	pourrez	vous	aurez	pu
ils/elles	pourront	ils/elles	auront	pu

passé simple		passé antérieur		
je	pus	j'	eus	pu
tu	pus	tu	eus	pu
il/elle	put	il/elle	eut	pu
nous	pûmes	nous	eûmes	pu
vous	pûtes	vous	eûtes	pu
ils/elles	purent	ils/elles	eurent	pu

Subjonctif

présent		
que	je	puisse
que	tu	puisses
qu'	il/elle	puisse
que	nous	puissions
que	vous	puissiez
qu'	ils/elles	puissent

imparfait		
que	je	pusse
que	tu	pusses
qu'	il/elle	pût
que	nous	pussions
que	vous	pussiez
qu'	ils/elles	pussent

passé			
que	j'	aie	pu
que	tu	aies	pu
qu'	il/elle	ait	pu
que	nous	ayons	pu
que	vous	ayez	pu
qu'	ils/elles	aient	pu

plus-que-parfait			
que	j'	eusse	pu
que	tu	eusses	pu
qu'	il/elle	eût	pu
que	nous	eussions	pu
que	vous	eussiez	pu
qu'	ils/elles	eussent	pu

Conditionnel

présent		passé		
je	pourrais	j'	aurais	pu
tu	pourrais	tu	aurais	pu
il/elle	pourrait	il/elle	aurait	pu
nous	pourrions	nous	aurions	pu
vous	pourriez	vous	auriez	pu
ils/elles	pourraient	ils/elles	auraient	pu

Impératif

présent	passé
inusité	*inusité*

■ Terminaison -*x* (et non -*s*) aux deux premières personnes de l'indicatif présent et à l'impératif présent.

■ Dans les formules de politesse, on emploie *veuille, veuillez* (et non *veux, voulez*) : *veuillez m'excuser.*

Infinitif

présent	passé
vouloir	avoir voulu

Participe

présent	passé
voulant	voulu/ue, us/ues
	ayant voulu

Indicatif

présent

je	veux
tu	veux
il/elle	veut
nous	voulons
vous	voulez
ils/elles	veulent

passé composé

j'	ai	voulu
tu	as	voulu
il/elle	a	voulu
nous	avons	voulu
vous	avez	voulu
ils/elles	ont	voulu

imparfait

je	voulais
tu	voulais
il/elle	voulait
nous	voulions
vous	vouliez
ils/elles	voulaient

plus-que-parfait

j'	avais	voulu
tu	avais	voulu
il/elle	avait	voulu
nous	avions	voulu
vous	aviez	voulu
ils/elles	avaient	voulu

futur simple

je	voudrai
tu	voudras
il/elle	voudra
nous	voudrons
vous	voudrez
ils/elles	voudront

futur antérieur

j'	aurai	voulu
tu	auras	voulu
il/elle	aura	voulu
nous	aurons	voulu
vous	aurez	voulu
ils/elles	auront	voulu

passé simple

je	voulus
tu	voulus
il/elle	voulut
nous	voulûmes
vous	voulûtes
ils/elles	voulurent

passé antérieur

j'	eus	voulu
tu	eus	voulu
il/elle	eut	voulu
nous	eûmes	voulu
vous	eûtes	voulu
ils/elles	eurent	voulu

Subjonctif

présent

que	je	veuille
que	tu	veuilles
qu'	il/elle	veuille
que	nous	voulions/veuillions
que	vous	vouliez/veuilliez
qu'	ils/elles	veuillent

imparfait

que	je	voulusse
que	tu	voulusses
qu'	il/elle	voulût
que	nous	voulussions
que	vous	voulussiez
qu'	ils/elles	voulussent

passé

que	j'	aie	voulu
que	tu	aies	voulu
qu'	il/elle	ait	voulu
que	nous	ayons	voulu
que	vous	ayez	voulu
qu'	ils/elles	aient	voulu

plus-que-parfait

que	j'	eusse	voulu
que	tu	eusses	voulu
qu'	il/elle	eût	voulu
que	nous	eussions	voulu
que	vous	eussiez	voulu
qu'	ils/elles	eussent	voulu

Conditionnel

présent

je	voudrais
tu	voudrais
il/elle	voudrait
nous	voudrions
vous	voudriez
ils/elles	voudraient

passé

j'	aurais	voulu
tu	aurais	voulu
il/elle	aurait	voulu
nous	aurions	voulu
vous	auriez	voulu
ils/elles	auraient	voulu

Impératif

présent	passé	
veuille/veux	aie	voulu
veuillons/voulons	ayons	voulu
veuillez/voulez	ayez	voulu

■ L'impératif présent n'a pas de rapport avec l'indicatif présent : il se construit sur la base *sach-*, à l'aide des terminaisons du 1ᵉʳ groupe (comme le participe présent et le subjonctif présent).

Infinitif

présent	passé
savoir	avoir su

Participe

présent	passé
sachant	su/sue, sus/sues
	ayant su

Indicatif

présent

je	sais
tu	sais
il/elle	sait
nous	savons
vous	savez
ils/elles	savent

passé composé

j'	ai	su
tu	as	su
il/elle	a	su
nous	avons	su
vous	avez	su
ils/elles	ont	su

imparfait

je	savais
tu	savais
il/elle	savait
nous	savions
vous	saviez
ils/elles	savaient

plus-que-parfait

j'	avais	su
tu	avais	su
il/elle	avait	su
nous	avions	su
vous	aviez	su
ils/elles	avaient	su

futur simple

je	saurai
tu	sauras
il/elle	saura
nous	saurons
vous	saurez
ils/elles	sauront

futur antérieur

j'	aurai	su
tu	auras	su
il/elle	aura	su
nous	aurons	su
vous	aurez	su
ils/elles	auront	su

passé simple

je	sus
tu	sus
il/elle	sut
nous	sûmes
vous	sûtes
ils/elles	surent

passé antérieur

j'	eus	su
tu	eus	su
il/elle	eut	su
nous	eûmes	su
vous	eûtes	su
ils/elles	eurent	su

Subjonctif

présent

que	je	sache
que	tu	saches
qu'	il/elle	sache
que	nous	sachions
que	vous	sachiez
qu'	ils/elles	sachent

imparfait

que	je	susse
que	tu	susses
qu'	il/elle	sût
que	nous	sussions
que	vous	sussiez
qu'	ils/elles	sussent

passé

que	j'	aie	su
que	tu	aies	su
qu'	il/elle	ait	su
que	nous	ayons	su
que	vous	ayez	su
qu'	ils/elles	aient	su

plus-que-parfait

que	j'	eusse	su
que	tu	eusses	su
qu'	il/elle	eût	su
que	nous	eussions	su
que	vous	eussiez	su
qu'	ils/elles	eussent	su

Conditionnel

présent

je	saurais
tu	saurais
il/elle	saurait
nous	saurions
vous	sauriez
ils/elles	sauraient

passé

j'	aurais	su
tu	aurais	su
il/elle	aurait	su
nous	aurions	su
vous	auriez	su
ils/elles	auraient	su

Impératif

présent	passé	
sache	aie	su
sachons	ayons	su
sachez	ayez	su

> ■ Attention à l'accent circonflexe du participe passé au masculin singulier (pas au pluriel, ni au féminin).
>
> ■ *Redevoir*, seul dérivé de *devoir*, suit ce modèle.

Infinitif

présent	passé
devoir	avoir dû

Participe

présent	passé
devant	dû/due, dus/dues
	ayant dû

Indicatif

présent		passé composé		
je	dois	j'	ai	dû
tu	dois	tu	as	dû
il/elle	doit	il/elle	a	dû
nous	devons	nous	avons	dû
vous	devez	vous	avez	dû
ils/elles	doivent	ils/elles	ont	dû

imparfait		plus-que-parfait		
je	devais	j'	avais	dû
tu	devais	tu	avais	dû
il/elle	devait	il/elle	avait	dû
nous	devions	nous	avions	dû
vous	deviez	vous	aviez	dû
ils/elles	devaient	ils/elles	avaient	dû

futur simple		futur antérieur		
je	devrai	j'	aurai	dû
tu	devras	tu	auras	dû
il/elle	devra	il/elle	aura	dû
nous	devrons	nous	aurons	dû
vous	devrez	vous	aurez	dû
ils/elles	devront	ils/elles	auront	dû

passé simple		passé antérieur		
je	dus	j'	eus	dû
tu	dus	tu	eus	dû
il/elle	dut	il/elle	eut	dû
nous	dûmes	nous	eûmes	dû
vous	dûtes	vous	eûtes	dû
ils/elles	durent	ils/elles	eurent	dû

Subjonctif

présent		
que	je	doive
que	tu	doives
qu'	il/elle	doive
que	nous	devions
que	vous	deviez
qu'	ils/elles	doivent

imparfait		
que	je	dusse
que	tu	dusses
qu'	il/elle	dût
que	nous	dussions
que	vous	dussiez
qu'	ils/elles	dussent

passé			
que	j'	aie	dû
que	tu	aies	dû
qu'	il/elle	ait	dû
que	nous	ayons	dû
que	vous	ayez	dû
qu'	ils/elles	aient	dû

plus-que-parfait			
que	j'	eusse	dû
que	tu	eusses	dû
qu'	il/elle	eût	dû
que	nous	eussions	dû
que	vous	eussiez	dû
qu'	ils/elles	eussent	dû

Conditionnel

présent		passé		
je	devrais	j'	aurais	dû
tu	devrais	tu	aurais	dû
il/elle	devrait	il/elle	aurait	dû
nous	devrions	nous	aurions	dû
vous	devriez	vous	auriez	dû
ils/elles	devraient	ils/elles	auraient	dû

Impératif

présent	passé	
dois	aie	dû
devons	ayons	dû
devez	ayez	dû

■ Verbe impersonnel et défectif.
■ Participe passé invariable.

Infinitif

présent	passé
falloir	avoir fallu

Indicatif

présent	passé composé
il faut	il a fallu
imparfait	**plus-que-parfait**
il fallait	il avait fallu
futur simple	**futur antérieur**
il faudra	il aura fallu
passé simple	**passé antérieur**
il fallut	il eut fallu

Conditionnel

présent	passé
il faudrait	il aurait fallu

Participe

présent	passé
inusité	fallu
	ayant fallu

Subjonctif

présent
qu'il faille
imparfait
qu'il fallût
passé
qu'il ait fallu
plus-que-parfait
qu'il eût fallu

Impératif

présent	passé
inusité	*inusité*

- Modèle de conjugaison régulière du 1er groupe (infinitif en -er).
- Suivent ce modèle : tous les verbes du 1er groupe, même ceux dont la base se termine par une voyelle (cré/er, jou/er, pu/er, salu/er...).
- Voir « Répertoire des verbes » pour le choix de l'auxiliaire de conjugaison.

Infinitif

présent	passé
aimer	avoir aimé

Participe

présent	passé
aimant	aimé/ée, és/ées
	ayant aimé

Indicatif

présent

j'	aime
tu	aimes
il/elle	aime
nous	aimons
vous	aimez
ils/elles	aiment

passé composé

j'	ai	aimé
tu	as	aimé
il/elle	a	aimé
nous	avons	aimé
vous	avez	aimé
ils/elles	ont	aimé

imparfait

j'	aimais
tu	aimais
il/elle	aimait
nous	aimions
vous	aimiez
ils/elles	aimaient

plus-que-parfait

j'	avais	aimé
tu	avais	aimé
il/elle	avait	aimé
nous	avions	aimé
vous	aviez	aimé
ils/elles	avaient	aimé

futur simple

j'	aimerai
tu	aimeras
il/elle	aimera
nous	aimerons
vous	aimerez
ils/elles	aimeront

futur antérieur

j'	aurai	aimé
tu	auras	aimé
il/elle	aura	aimé
nous	aurons	aimé
vous	aurez	aimé
ils/elles	auront	aimé

passé simple

j'	aimai
tu	aimas
il/elle	aima
nous	aimâmes
vous	aimâtes
ils/elles	aimèrent

passé antérieur

j'	eus	aimé
tu	eus	aimé
il/elle	eut	aimé
nous	eûmes	aimé
vous	eûtes	aimé
ils/elles	eurent	aimé

Subjonctif

présent

que	j'	aime
que	tu	aimes
qu'	il/elle	aime
que	nous	aimions
que	vous	aimiez
qu'	ils/elles	aiment

imparfait

que	j'	aimasse
que	tu	aimasses
qu'	il/elle	aimât
que	nous	aimassions
que	vous	aimassiez
qu'	ils/elles	aimassent

passé

que	j'	aie	aimé
que	tu	aies	aimé
qu'	il/elle	ait	aimé
que	nous	ayons	aimé
que	vous	ayez	aimé
qu'	ils/elles	aient	aimé

plus-que-parfait

que	j'	eusse	aimé
que	tu	eusses	aimé
qu'	il/elle	eût	aimé
que	nous	eussions	aimé
que	vous	eussiez	aimé
qu'	ils/elles	eussent	aimé

Conditionnel

présent

j'	aimerais
tu	aimerais
il/elle	aimerait
nous	aimerions
vous	aimeriez
ils/elles	aimeraient

passé

j'	aurais	aimé
tu	aurais	aimé
il/elle	aurait	aimé
nous	aurions	aimé
vous	auriez	aimé
ils/elles	auraient	aimé

Impératif

présent	passé	
aime	aie	aimé
aimons	ayons	aimé
aimez	ayez	aimé

CRÉER 13

■ Le -é final de la base (*cré-*) est présent à toutes les formes et porte toujours un accent aigu. Attention à la succession des voyelles, en particulier au féminin du participe passé : *créée*, *créées*.

■ Suivent ce modèle : les dérivés de *créer* (*procréer*, *recréer*) ; les rares verbes en *-éer* (*agréer*, *béer*…).

Infinitif

présent	passé
créer	avoir créé

Participe

présent	passé
créant	créé/créée, créés/créées
	ayant créé

Indicatif

présent

je	crée
tu	crées
il/elle	crée
nous	créons
vous	créez
ils/elles	créent

passé composé

j'	ai	créé
tu	as	créé
il/elle	a	créé
nous	avons	créé
vous	avez	créé
ils/elles	ont	créé

imparfait

je	créais
tu	créais
il/elle	créait
nous	créions
vous	créiez
ils/elles	créaient

plus-que-parfait

j'	avais	créé
tu	avais	créé
il/elle	avait	créé
nous	avions	créé
vous	aviez	créé
ils/elles	avaient	créé

futur simple

je	créerai
tu	créeras
il/elle	créera
nous	créerons
vous	créerez
ils/elles	créeront

futur antérieur

j'	aurai	créé
tu	auras	créé
il/elle	aura	créé
nous	aurons	créé
vous	aurez	créé
ils/elles	auront	créé

passé simple

je	créai
tu	créas
il/elle	créa
nous	créâmes
vous	créâtes
ils/elles	créèrent

passé antérieur

j'	eus	créé
tu	eus	créé
il/elle	eut	créé
nous	eûmes	créé
vous	eûtes	créé
ils/elles	eurent	créé

Subjonctif

présent

que	je	crée
que	tu	crées
qu'	il/elle	crée
que	nous	créions
que	vous	créiez
qu'	ils/elles	créent

imparfait

que	je	créasse
que	tu	créasses
qu'	il/elle	créât
que	nous	créassions
que	vous	créassiez
qu'	ils/elles	créassent

passé

que	j'	aie	créé
que	tu	aies	créé
qu'	il/elle	ait	créé
que	nous	ayons	créé
que	vous	ayez	créé
qu'	ils/elles	aient	créé

plus-que-parfait

que	j'	eusse	créé
que	tu	eusses	créé
qu'	il/elle	eût	créé
que	nous	eussions	créé
que	vous	eussiez	créé
qu'	ils/elles	eussent	créé

Conditionnel

présent

je	créerais
tu	créerais
il/elle	créerait
nous	créerions
vous	créeriez
ils/elles	créeraient

passé

j'	aurais	créé
tu	aurais	créé
il/elle	aurait	créé
nous	aurions	créé
vous	auriez	créé
ils/elles	auraient	créé

Impératif

présent	passé	
crée	aie	créé
créons	ayons	créé
créez	ayez	créé

13 CRÉER

■ Le -*i* final de la base est présent à toutes les formes. Il se juxtapose au -*i*- de certaines terminaisons : quatre formes comportent donc deux -*i*- successifs.

■ Suivent ce modèle : tous les verbes en -*ier* (*apprécier, copier, lier, nier, prier...*).

Infinitif

présent	passé
étudier	avoir étudié

Participe

présent	passé
étudiant	étudié/ée, és/ées
	ayant étudié

Indicatif

présent

j'	étudie
tu	étudies
il/elle	étudie
nous	étudions
vous	étudiez
ils/elles	étudient

passé composé

j'	ai	étudié
tu	as	étudié
il/elle	a	étudié
nous	avons	étudié
vous	avez	étudié
ils/elles	ont	étudié

imparfait

j'	étudiais
tu	étudiais
il/elle	étudiait
nous	étudiions
vous	étudiiez
ils/elles	étudiaient

plus-que-parfait

j'	avais	étudié
tu	avais	étudié
il/elle	avait	étudié
nous	avions	étudié
vous	aviez	étudié
ils/elles	avaient	étudié

futur simple

j'	étudierai
tu	étudieras
il/elle	étudiera
nous	étudierons
vous	étudierez
ils/elles	étudieront

futur antérieur

j'	aurai	étudié
tu	auras	étudié
il/elle	aura	étudié
nous	aurons	étudié
vous	aurez	étudié
ils/elles	auront	étudié

passé simple

j'	étudiai
tu	étudias
il/elle	étudia
nous	étudiâmes
vous	étudiâtes
ils/elles	étudièrent

passé antérieur

j'	eus	étudié
tu	eus	étudié
il/elle	eut	étudié
nous	eûmes	étudié
vous	eûtes	étudié
ils/elles	eurent	étudié

Subjonctif

présent

que	j'	étudie
que	tu	étudies
qu'	il/elle	étudie
que	nous	étudiions
que	vous	étudiiez
qu'	ils/elles	étudient

imparfait

que	j'	étudiasse
que	tu	étudiasses
qu'	il/elle	étudiât
que	nous	étudiassions
que	vous	étudiassiez
qu'	ils/elles	étudiassent

passé

que	j'	aie	étudié
que	tu	aies	étudié
qu'	il/elle	ait	étudié
que	nous	ayons	étudié
que	vous	ayez	étudié
qu'	ils/elles	aient	étudié

plus-que-parfait

que	j'	eusse	étudié
que	tu	eusses	étudié
qu'	il/elle	eût	étudié
que	nous	eussions	étudié
que	vous	eussiez	étudié
qu'	ils/elles	eussent	étudié

Conditionnel

présent

j'	étudierais
tu	étudierais
il/elle	étudierait
nous	étudierions
vous	étudieriez
ils/elles	étudieraient

passé

j'	aurais	étudié
tu	aurais	étudié
il/elle	aurait	étudié
nous	aurions	étudié
vous	auriez	étudié
ils/elles	auraient	étudié

Impératif

présent	passé	
étudie	aie	étudié
étudions	ayons	étudié
étudiez	ayez	étudié

DISTINGUER 15

■ Le -u final de la base est présent à toutes les formes, même si la terminaison commence par -o- ou -a-.

■ Suivent ce modèle : tous les verbes en -guer (conjuguer, naviguer...) et tous les verbes en -quer (indiquer, manquer...), -q- étant toujours suivi de -u- en français, sauf en fin de mot.

Infinitif

présent
distinguer

passé
avoir distingué

Participe

présent
distinguant

passé
distingué/ée, és/ées
ayant distingué

Indicatif

présent

je	distingue
tu	distingues
il/elle	distingue
nous	distinguons
vous	distinguez
ils/elles	distinguent

passé composé

j'	ai	distingué
tu	as	distingué
il/elle	a	distingué
nous	avons	distingué
vous	avez	distingué
ils/elles	ont	distingué

imparfait

je	distinguais
tu	distinguais
il/elle	distinguait
nous	distinguions
vous	distinguiez
ils/elles	distinguaient

plus-que-parfait

j'	avais	distingué
tu	avais	distingué
il/elle	avait	distingué
nous	avions	distingué
vous	aviez	distingué
ils/elles	avaient	distingué

futur simple

je	distinguerai
tu	distingueras
il/elle	distinguera
nous	distinguerons
vous	distinguerez
ils/elles	distingueront

futur antérieur

j'	aurai	distingué
tu	auras	distingué
il/elle	aura	distingué
nous	aurons	distingué
vous	aurez	distingué
ils/elles	auront	distingué

passé simple

je	distinguai
tu	distinguas
il/elle	distingua
nous	distinguâmes
vous	distinguâtes
ils/elles	distinguèrent

passé antérieur

j'	eus	distingué
tu	eus	distingué
il/elle	eut	distingué
nous	eûmes	distingué
vous	eûtes	distingué
ils/elles	eurent	distingué

Subjonctif

présent

que	je	distingue
que	tu	distingues
qu'	il/elle	distingue
que	nous	distinguions
que	vous	distinguiez
qu'	ils/elles	distinguent

imparfait

que	je	distinguasse
que	tu	distinguasses
qu'	il/elle	distinguât
que	nous	distinguassions
que	vous	distinguassiez
qu'	ils/elles	distinguassent

passé

que	j'	aie	distingué
que	tu	aies	distingué
qu'	il/elle	ait	distingué
que	nous	ayons	distingué
que	vous	ayez	distingué
qu'	ils/elles	aient	distingué

plus-que-parfait

que	j'	eusse	distingué
que	tu	eusses	distingué
qu'	il/elle	eût	distingué
que	nous	eussions	distingué
que	vous	eussiez	distingué
qu'	ils/elles	eussent	distingué

Conditionnel

présent

je	distinguerais
tu	distinguerais
il/elle	distinguerait
nous	distinguerions
vous	distingueriez
ils/elles	distingueraient

passé

j'	aurais	distingué
tu	aurais	distingué
il/elle	aurait	distingué
nous	aurions	distingué
vous	auriez	distingué
ils/elles	auraient	distingué

Impératif

présent
distingue
distinguons
distinguez

passé
aie distingué
ayons distingué
ayez distingué

■ Devant une terminaison commençant par -o- ou -a-, le -g final de la base est suivi d'un -e- pour garder le son doux [ʒ].

■ Suivent ce modèle : tous les verbes en -ger (arranger, changer, déménager, neiger, obliger, ranger, voyager...).

Infinitif

présent	passé
manger	avoir mangé

Participe

présent	passé
mangeant	mangé/ée, és/ées
	ayant mangé

Indicatif

présent

je	mange
tu	manges
il/elle	mange
nous	mangeons
vous	mangez
ils/elles	mangent

passé composé

j'	ai	mangé
tu	as	mangé
il/elle	a	mangé
nous	avons	mangé
vous	avez	mangé
ils/elles	ont	mangé

imparfait

je	mangeais
tu	mangeais
il/elle	mangeait
nous	mangions
vous	mangiez
ils/elles	mangeaient

plus-que-parfait

j'	avais	mangé
tu	avais	mangé
il/elle	avait	mangé
nous	avions	mangé
vous	aviez	mangé
ils/elles	avaient	mangé

futur simple

je	mangerai
tu	mangeras
il/elle	mangera
nous	mangerons
vous	mangerez
ils/elles	mangeront

futur antérieur

j'	aurai	mangé
tu	auras	mangé
il/elle	aura	mangé
nous	aurons	mangé
vous	aurez	mangé
ils/elles	auront	mangé

passé simple

je	mangeai
tu	mangeas
il/elle	mangea
nous	mangeâmes
vous	mangeâtes
ils/elles	mangèrent

passé antérieur

j'	eus	mangé
tu	eus	mangé
il/elle	eut	mangé
nous	eûmes	mangé
vous	eûtes	mangé
ils/elles	eurent	mangé

Subjonctif

présent

que	je	mange
que	tu	manges
qu'	il/elle	mange
que	nous	mangions
que	vous	mangiez
qu'	ils/elles	mangent

imparfait

que	je	mangeasse
que	tu	mangeasses
qu'	il/elle	mangeât
que	nous	mangeassions
que	vous	mangeassiez
qu'	ils/elles	mangeassent

passé

que	j'	aie	mangé
que	tu	aies	mangé
qu'	il/elle	ait	mangé
que	nous	ayons	mangé
que	vous	ayez	mangé
qu'	ils/elles	aient	mangé

plus-que-parfait

que	j'	eusse	mangé
que	tu	eusses	mangé
qu'	il/elle	eût	mangé
que	nous	eussions	mangé
que	vous	eussiez	mangé
qu'	ils/elles	eussent	mangé

Conditionnel

présent

je	mangerais
tu	mangerais
il/elle	mangerait
nous	mangerions
vous	mangeriez
ils/elles	mangeraient

passé

j'	aurais	mangé
tu	aurais	mangé
il/elle	aurait	mangé
nous	aurions	mangé
vous	auriez	mangé
ils/elles	auraient	mangé

Impératif

présent	passé	
mange	aie	mangé
mangeons	ayons	mangé
mangez	ayez	mangé

PLACER 17

■ Devant une terminaison commençant par -o- ou -a-, le -c- final de la base prend une cédille pour garder le son doux [s].

■ Suivent ce modèle : tous les verbes en -cer (*annoncer, avancer, coincer, commencer, prononcer, tracer...*).

Infinitif

présent	passé
placer	avoir placé

Participe

présent	passé
plaçant	placé/ée, és/ées
	ayant placé

Indicatif

présent
je	place
tu	places
il/elle	place
nous	plaçons
vous	placez
ils/elles	placent

passé composé
j'	ai	placé
tu	as	placé
il/elle	a	placé
nous	avons	placé
vous	avez	placé
ils/elles	ont	placé

imparfait
je	plaçais
tu	plaçais
il/elle	plaçait
nous	placions
vous	placiez
ils/elles	plaçaient

plus-que-parfait
j'	avais	placé
tu	avais	placé
il/elle	avait	placé
nous	avions	placé
vous	aviez	placé
ils/elles	avaient	placé

futur simple
je	placerai
tu	placeras
il/elle	placera
nous	placerons
vous	placerez
ils/elles	placeront

futur antérieur
j'	aurai	placé
tu	auras	placé
il/elle	aura	placé
nous	aurons	placé
vous	aurez	placé
ils/elles	auront	placé

passé simple
je	plaçai
tu	plaças
il/elle	plaça
nous	plaçâmes
vous	plaçâtes
ils/elles	placèrent

passé antérieur
j'	eus	placé
tu	eus	placé
il/elle	eut	placé
nous	eûmes	placé
vous	eûtes	placé
ils/elles	eurent	placé

Subjonctif

présent
que	je	place
que	tu	places
qu'	il/elle	place
que	nous	placions
que	vous	placiez
qu'	ils/elles	placent

imparfait
que	je	plaçasse
que	tu	plaçasses
qu'	il/elle	plaçât
que	nous	plaçassions
que	vous	plaçassiez
qu'	ils/elles	plaçassent

passé
que	j'	aie	placé
que	tu	aies	placé
qu'	il/elle	ait	placé
que	nous	ayons	placé
que	vous	ayez	placé
qu'	ils/elles	aient	placé

plus-que-parfait
que	j'	eusse	placé
que	tu	eusses	placé
qu'	il/elle	eût	placé
que	nous	eussions	placé
que	vous	eussiez	placé
qu'	ils/elles	eussent	placé

Conditionnel

présent
je	placerais
tu	placerais
il/elle	placerait
nous	placerions
vous	placeriez
ils/elles	placeraient

passé
j'	aurais	placé
tu	aurais	placé
il/elle	aurait	placé
nous	aurions	placé
vous	auriez	placé
ils/elles	auraient	placé

Impératif

présent	passé	
place	aie	placé
plaçons	ayons	placé
placez	ayez	placé

■ Suit le modèle du tableau 17, mais attention : ne pas oublier le -s- qui précède toujours le -c (ou -ç) final de la base.

■ Participe passé invariable.

Infinitif

présent	passé
acquiescer	avoir acquiescé

Participe

présent	passé
acquiesçant	acquiescé
	ayant acquiescé

Indicatif

présent		passé composé		
j'	acquiesce	j'	ai	acquiescé
tu	acquiesces	tu	as	acquiescé
il/elle	acquiesce	il/elle	a	acquiescé
nous	acquiesçons	nous	avons	acquiescé
vous	acquiescez	vous	avez	acquiescé
ils/elles	acquiescent	ils/elles	ont	acquiescé

imparfait		plus-que-parfait		
j'	acquiesçais	j'	avais	acquiescé
tu	acquiesçais	tu	avais	acquiescé
il/elle	acquiesçait	il/elle	avait	acquiescé
nous	acquiescions	nous	avions	acquiescé
vous	acquiesciez	vous	aviez	acquiescé
ils/elles	acquiesçaient	ils/elles	avaient	acquiescé

futur simple		futur antérieur		
j'	acquiescerai	j'	aurai	acquiescé
tu	acquiesceras	tu	auras	acquiescé
il/elle	acquiescera	il/elle	aura	acquiescé
nous	acquiescerons	nous	aurons	acquiescé
vous	acquiescerez	vous	aurez	acquiescé
ils/elles	acquiesceront	ils/elles	auront	acquiescé

passé simple		passé antérieur		
j'	acquiesçai	j'	eus	acquiescé
tu	acquiesças	tu	eus	acquiescé
il/elle	acquiesça	il/elle	eut	acquiescé
nous	acquiesçâmes	nous	eûmes	acquiescé
vous	acquiesçâtes	vous	eûtes	acquiescé
ils/elles	acquiescèrent	ils/elles	eurent	acquiescé

Subjonctif

présent		
que	j'	acquiesce
que	tu	acquiesces
qu'	il/elle	acquiesce
que	nous	acquiescions
que	vous	acquiesciez
qu'	ils/elles	acquiescent

imparfait		
que	j'	acquiesçasse
que	tu	acquiesçasses
qu'	il/elle	acquiesçât
que	nous	acquiesçassions
que	vous	acquiesçassiez
qu'	ils/elles	acquiesçassent

passé			
que	j'	aie	acquiescé
que	tu	aies	acquiescé
qu'	il/elle	ait	acquiescé
que	nous	ayons	acquiescé
que	vous	ayez	acquiescé
qu'	ils/elles	aient	acquiescé

plus-que-parfait			
que	j'	eusse	acquiescé
que	tu	eusses	acquiescé
qu'	il/elle	eût	acquiescé
que	nous	eussions	acquiescé
que	vous	eussiez	acquiescé
qu'	ils/elles	eussent	acquiescé

Conditionnel

présent		passé		
j'	acquiescerais	j'	aurais	acquiescé
tu	acquiescerais	tu	aurais	acquiescé
il/elle	acquiescerait	il/elle	aurait	acquiescé
nous	acquiescerions	nous	aurions	acquiescé
vous	acquiesceriez	vous	auriez	acquiescé
ils/elles	acquiesceraient	ils/elles	auraient	acquiescé

Impératif

présent	passé	
acquiesce	aie	acquiescé
acquiesçons	ayons	acquiescé
acquiescez	ayez	acquiescé

CÉDER 19

■ Devant une terminaison qui ne comporte qu'une syllabe contenant un *-e-* muet, c'est la base *cèd-* (avec un accent grave) qui sert à construire la forme verbale : *je cède* (mais : *nous cédons*).

■ L'alternance *-é-/-è-* se retrouve dans la conjugaison de tous les verbes du 1er groupe

qui comportent un *-é-* (accent aigu) avant le dernier son-consonne de la base (*aérer, compléter, espérer, répéter, sécher...*).

■ L'orthographe rectifiée recommande d'écrire les verbes du type *céder* avec un *-è-* (accent grave) au futur et au conditionnel : *je cèderai, je cèderais.*

Infinitif

présent	passé
céder	avoir cédé

Participe

présent	passé
cédant	cédé/ée, és/ées
	ayant cédé

Indicatif

présent

je	cède
tu	cèdes
il/elle	cède
nous	cédons
vous	cédez
ils/elles	cèdent

passé composé

j'	ai	cédé
tu	as	cédé
il/elle	a	cédé
nous	avons	cédé
vous	avez	cédé
ils/elles	ont	cédé

imparfait

je	cédais
tu	cédais
il/elle	cédait
nous	cédions
vous	cédiez
ils/elles	cédaient

plus-que-parfait

j'	avais	cédé
tu	avais	cédé
il/elle	avait	cédé
nous	avions	cédé
vous	aviez	cédé
ils/elles	avaient	cédé

futur simple

je	céderai
tu	céderas
il/elle	cédera
nous	céderons
vous	céderez
ils/elles	céderont

futur antérieur

j'	aurai	cédé
tu	auras	cédé
il/elle	aura	cédé
nous	aurons	cédé
vous	aurez	cédé
ils/elles	auront	cédé

passé simple

je	cédai
tu	cédas
il/elle	céda
nous	cédâmes
vous	cédâtes
ils/elles	cédèrent

passé antérieur

j'	eus	cédé
tu	eus	cédé
il/elle	eut	cédé
nous	eûmes	cédé
vous	eûtes	cédé
ils/elles	eurent	cédé

Subjonctif

présent

que	je	cède
que	tu	cèdes
qu'	il/elle	cède
que	nous	cédions
que	vous	cédiez
qu'	ils/elles	cèdent

imparfait

que	je	cédasse
que	tu	cédasses
qu'	il/elle	cédât
que	nous	cédassions
que	vous	cédassiez
qu'	ils/elles	cédassent

passé

que	j'	aie	cédé
que	tu	aies	cédé
qu'	il/elle	ait	cédé
que	nous	ayons	cédé
que	vous	ayez	cédé
qu'	ils/elles	aient	cédé

plus-que-parfait

que	j'	eusse	cédé
que	tu	eusses	cédé
qu'	il/elle	eût	cédé
que	nous	eussions	cédé
que	vous	eussiez	cédé
qu'	ils/elles	eussent	cédé

Conditionnel

présent

je	céderais
tu	céderais
il/elle	céderait
nous	céderions
vous	céderiez
ils/elles	céderaient

passé

j'	aurais	cédé
tu	aurais	cédé
il/elle	aurait	cédé
nous	aurions	cédé
vous	auriez	cédé
ils/elles	auraient	cédé

Impératif

présent	passé	
cède	aie	cédé
cédons	ayons	cédé
cédez	ayez	cédé

■ Devant une terminaison commençant par *-o-* ou *-a-*, le *-g* final de la base est suivi d'un *-e-* pour garder le son doux [ʒ].

■ Alternance *-é-/-è-* de la base (voir *céder,* tableau 19).

■ Suivent ce modèle : les verbes en *-éger* (*abréger, alléger, assiéger, siéger…*).

Infinitif

présent	passé
protéger	avoir protégé

Participe

présent	passé

Indicatif

présent

je	protège
tu	protèges
il/elle	protège
nous	protégeons
vous	protégez
ils/elles	protègent

passé composé

j'	ai	protégé
tu	as	protégé
il/elle	a	protégé
nous	avons	protégé
vous	avez	protégé
ils/elles	ont	protégé

imparfait

je	protégeais
tu	protégeais
il/elle	protégeait
nous	protégions
vous	protégiez
ils/elles	protégeaient

plus-que-parfait

j'	avais	protégé
tu	avais	protégé
il/elle	avait	protégé
nous	avions	protégé
vous	aviez	protégé
ils/elles	avaient	protégé

futur simple

je	protégerai
tu	protégeras
il/elle	protégera
nous	protégerons
vous	protégerez
ils/elles	protégeront

futur antérieur

j'	aurai	protégé
tu	auras	protégé
il/elle	aura	protégé
nous	aurons	protégé
vous	aurez	protégé
ils/elles	auront	protégé

passé simple

je	protégeai
tu	protégeas
il/elle	protégea
nous	protégeâmes
vous	protégeâtes
ils/elles	protégèrent

passé antérieur

j'	eus	protégé
tu	eus	protégé
il/elle	eut	protégé
nous	eûmes	protégé
vous	eûtes	protégé
ils/elles	eurent	protégé

Subjonctif

présent

que	je	protège
que	tu	protèges
qu'	il/elle	protège
que	nous	protégions
que	vous	protégiez
qu'	ils/elles	protègent

imparfait

que	je	protégeasse
que	tu	protégeasses
qu'	il/elle	protégeât
que	nous	protégeassions
que	vous	protégeassiez
qu'	ils/elles	protégeassent

passé

que	j'	aie	protégé
que	tu	aies	protégé
qu'	il/elle	ait	protégé
que	nous	ayons	protégé
que	vous	ayez	protégé
qu'	ils/elles	aient	protégé

plus-que-parfait

que	j'	eusse	protégé
que	tu	eusses	protégé
qu'	il/elle	eût	protégé
que	nous	eussions	protégé
que	vous	eussiez	protégé
qu'	ils/elles	eussent	protégé

Conditionnel

présent

je	protégerais
tu	protégerais
il/elle	protégerait
nous	protégerions
vous	protégeriez
ils/elles	protégeraient

passé

j'	aurais	protégé
tu	aurais	protégé
il/elle	aurait	protégé
nous	aurions	protégé
vous	auriez	protégé
ils/elles	auraient	protégé

Impératif

présent	passé	
protège	aie	protégé
protégeons	ayons	protégé
protégez	ayez	protégé

RAPIÉCER 21

■ Devant une terminaison commençant par -o- ou -a-, le -c final de la base prend une cédille pour garder le son doux [s].

■ Alternance -é-/-è- de la base (voir *céder*, tableau 19).

Infinitif

présent	passé
rapiécer	avoir rapiécé

Participe

présent	passé
rapiéçant	rapiécé/ée, és/ées
	ayant rapiécé

Indicatif

présent

je	rapièce
tu	rapièces
il/elle	rapièce
nous	rapiéçons
vous	rapiécez
ils/elles	rapiècent

passé composé

j'	ai	rapiécé
tu	as	rapiécé
il/elle	a	rapiécé
nous	avons	rapiécé
vous	avez	rapiécé
ils/elles	ont	rapiécé

imparfait

je	rapiéçais
tu	rapiéçais
il/elle	rapiéçait
nous	rapiécions
vous	rapiéciez
ils/elles	rapiéçaient

plus-que-parfait

j'	avais	rapiécé
tu	avais	rapiécé
il/elle	avait	rapiécé
nous	avions	rapiécé
vous	aviez	rapiécé
ils/elles	avaient	rapiécé

futur simple

je	rapiécerai
tu	rapiéceras
il/elle	rapiécera
nous	rapiécerons
vous	rapiécerez
ils/elles	rapiéceront

futur antérieur

j'	aurai	rapiécé
tu	auras	rapiécé
il/elle	aura	rapiécé
nous	aurons	rapiécé
vous	aurez	rapiécé
ils/elles	auront	rapiécé

passé simple

je	rapiéçai
tu	rapiéças
il/elle	rapiéça
nous	rapiéçâmes
vous	rapiéçâtes
ils/elles	rapiécèrent

passé antérieur

j'	eus	rapiécé
tu	eus	rapiécé
il/elle	eut	rapiécé
nous	eûmes	rapiécé
vous	eûtes	rapiécé
ils/elles	eurent	rapiécé

Subjonctif

présent

que	je	rapièce
que	tu	rapièces
qu'	il/elle	rapièce
que	nous	rapiécions
que	vous	rapiéciez
qu'	ils/elles	rapiècent

imparfait

que	je	rapiéçasse
que	tu	rapiéçasses
qu'	il/elle	rapiéçât
que	nous	rapiéçassions
que	vous	rapiéçassiez
qu'	ils/elles	rapiéçassent

passé

que	j'	aie	rapiécé
que	tu	aies	rapiécé
qu'	il/elle	ait	rapiécé
que	nous	ayons	rapiécé
que	vous	ayez	rapiécé
qu'	ils/elles	aient	rapiécé

plus-que-parfait

que	j'	eusse	rapiécé
que	tu	eusses	rapiécé
qu'	il/elle	eût	rapiécé
que	nous	eussions	rapiécé
que	vous	eussiez	rapiécé
qu'	ils/elles	eussent	rapiécé

Conditionnel

présent

je	rapiécerais
tu	rapiécerais
il/elle	rapiécerait
nous	rapiécerions
vous	rapiéceriez
ils/elles	rapiéceraient

passé

j'	aurais	rapiécé
tu	aurais	rapiécé
il/elle	aurait	rapiécé
nous	aurions	rapiécé
vous	auriez	rapiécé
ils/elles	auraient	rapiécé

Impératif

présent	passé	
rapièce	aie	rapiécé
rapiéçons	ayons	rapiécé
rapiécez	ayez	rapiécé

■ C'est la base *appell-* (avec deux -*l*-) qui sert à construire les formes dont la terminaison comporte un -*e*- muet et toutes les formes du futur simple et du conditionnel présent.

■ Suivent ce modèle : la majorité des verbes en -*eler* (*chanceler, épeler, rappeler...*), mais *harceler* peut aussi se conjuguer comme *geler* (tableau 24).

■ L'orthographe rectifiée préconise l'emploi du -*è*- (accent grave) pour marquer le son *e* ouvert [ɛ] dans tous les verbes en -*eler*, sauf pour le verbe *appeler* et ses dérivés, dont les formes sont bien stabilisées dans l'usage.

Infinitif

présent	passé
appeler	avoir appelé

Participe

présent	passé
appelant	appelé/ée, és/ées
	ayant appelé

Indicatif

présent

j'	appelle	j'	ai appelé
tu	appelles	tu	as appelé
il/elle	appelle	il/elle	a appelé
nous	appelons	nous	avons appelé
vous	appelez	vous	avez appelé
ils/elles	appellent	ils/elles	ont appelé

passé composé

imparfait

j'	appelais	j'	avais appelé
tu	appelais	tu	avais appelé
il/elle	appelait	il/elle	avait appelé
nous	appelions	nous	avions appelé
vous	appeliez	vous	aviez appelé
ils/elles	appelaient	ils/elles	avaient appelé

plus-que-parfait

futur simple

j'	appellerai	j'	aurai appelé
tu	appelleras	tu	auras appelé
il/elle	appellera	il/elle	aura appelé
nous	appellerons	nous	aurons appelé
vous	appellerez	vous	aurez appelé
ils/elles	appelleront	ils/elles	auront appelé

futur antérieur

passé simple

j'	appelai	j'	eus appelé
tu	appelas	tu	eus appelé
il/elle	appela	il/elle	eut appelé
nous	appelâmes	nous	eûmes appelé
vous	appelâtes	vous	eûtes appelé
ils/elles	appelèrent	ils/elles	eurent appelé

passé antérieur

Subjonctif

présent

que	j'	appelle	
que	tu	appelles	
qu'	il/elle	appelle	
que	nous	appelions	
que	vous	appeliez	
qu'	ils/elles	appellent	

imparfait

que	j'	appelasse	
que	tu	appelasses	
qu'	il/elle	appelât	
que	nous	appelassions	
que	vous	appelassiez	
qu'	ils/elles	appelassent	

passé

que	j'	aie	appelé
que	tu	aies	appelé
qu'	il/elle	ait	appelé
que	nous	ayons	appelé
que	vous	ayez	appelé
qu'	ils/elles	aient	appelé

plus-que-parfait

que	j'	eusse	appelé
que	tu	eusses	appelé
qu'	il/elle	eût	appelé
que	nous	eussions	appelé
que	vous	eussiez	appelé
qu'	ils/elles	eussent	appelé

Conditionnel

présent

j'	appellerais	j'	aurais appelé
tu	appellerais	tu	aurais appelé
il/elle	appellerait	il/elle	aurait appelé
nous	appellerions	nous	aurions appelé
vous	appelleriez	vous	auriez appelé
ils/elles	appelleraient	ils/elles	auraient appelé

passé

Impératif

présent	passé	
appelle	aie	appelé
appelons	ayons	appelé
appelez	ayez	appelé

■ Attention : même si certaines formes se prononcent avec un -e- fermé [ə] comme dans *appeler*, les deux -*l*- de la base sont présents partout.

■ L'orthographe rectifiée préconise d'écrire *interpeler* avec un seul *l* et de le conjuguer sur le modèle de *appeler*.

Infinitif

présent	**passé**
interpeller	avoir interpellé

Participe

présent	**passé**
interpellant	interpellé/ée, és/ées
	ayant interpellé

Indicatif

présent

j'	interpelle
tu	interpelles
il/elle	interpelle
nous	interpellons
vous	interpellez
ils/elles	interpellent

passé composé

j'	ai	interpellé
tu	as	interpellé
il/elle	a	interpellé
nous	avons	interpellé
vous	avez	interpellé
ils/elles	ont	interpellé

imparfait

j'	interpellais
tu	interpellais
il/elle	interpellait
nous	interpellions
vous	interpelliez
ils/elles	interpellaient

plus-que-parfait

j'	avais	interpellé
tu	avais	interpellé
il/elle	avait	interpellé
nous	avions	interpellé
vous	aviez	interpellé
ils/elles	avaient	interpellé

futur simple

j'	interpellerai
tu	interpelleras
il/elle	interpellera
nous	interpellerons
vous	interpellerez
ils/elles	interpelleront

futur antérieur

j'	aurai	interpellé
tu	auras	interpellé
il/elle	aura	interpellé
nous	aurons	interpellé
vous	aurez	interpellé
ils/elles	auront	interpellé

passé simple

j'	interpellai
tu	interpellas
il/elle	interpella
nous	interpellâmes
vous	interpellâtes
ils/elles	interpellèrent

passé antérieur

j'	eus	interpellé
tu	eus	interpellé
il/elle	eut	interpellé
nous	eûmes	interpellé
vous	eûtes	interpellé
ils/elles	eurent	interpellé

Subjonctif

présent

que	j'	interpelle
que	tu	interpelles
qu'	il/elle	interpelle
que	nous	interpellions
que	vous	interpelliez
qu'	ils/elles	interpellent

imparfait

que	j'	interpellasse
que	tu	interpellasses
qu'	il/elle	interpellât
que	nous	interpellassions
que	vous	interpellassiez
qu'	ils/elles	interpellassent

passé

que	j'	aie	interpellé
que	tu	aies	interpellé
qu'	il/elle	ait	interpellé
que	nous	ayons	interpellé
que	vous	ayez	interpellé
qu'	ils/elles	aient	interpellé

plus-que-parfait

que	j'	eusse	interpellé
que	tu	eusses	interpellé
qu'	il/elle	eût	interpellé
que	nous	eussions	interpellé
que	vous	eussiez	interpellé
qu'	ils/elles	eussent	interpellé

Conditionnel

présent

j'	interpellerais
tu	interpellerais
il/elle	interpellerait
nous	interpellerions
vous	interpelleriez
ils/elles	interpelleraient

passé

j'	aurais	interpellé
tu	aurais	interpellé
il/elle	aurait	interpellé
nous	aurions	interpellé
vous	auriez	interpellé
ils/elles	auraient	interpellé

Impératif

présent

interpelle
interpellons
interpellez

passé

aie	interpellé
ayons	interpellé
ayez	interpellé

■ C'est la base *gèl-* (avec accent grave) qui sert à construire les formes dont la terminaison comporte un *-e-* muet et toutes les formes du futur simple et du conditionnel présent.

■ Suivent ce modèle : les composés de *geler*, d'autres verbes en *-eler* (*celer, déceler, ciseler, écarteler, marteler, modeler, peler*) et les verbes en *-emer, -ener, -eser, -ever* (*semer, mener, peser, lever...*).

■ L'orthographe rectifiée préconise l'emploi du *-è-* (accent grave) pour marquer le son *e* ouvert [ɛ] dans tous les verbes en *-eler*, sauf pour le verbe *appeler* et ses dérivés, dont les formes sont bien stabilisées dans l'usage.

Infinitif

présent	passé
geler	avoir gelé

Participe

présent	passé
gelant	gelé/ée, és/ées
	ayant gelé

Indicatif

présent

je	gèle
tu	gèles
il/elle	gèle
nous	gelons
vous	gelez
ils/elles	gèlent

passé composé

j'	ai	gelé
tu	as	gelé
il/elle	a	gelé
nous	avons	gelé
vous	avez	gelé
ils/elles	ont	gelé

imparfait

je	gelais
tu	gelais
il/elle	gelait
nous	gelions
vous	geliez
ils/elles	gelaient

plus-que-parfait

j'	avais	gelé
tu	avais	gelé
il/elle	avait	gelé
nous	avions	gelé
vous	aviez	gelé
ils/elles	avaient	gelé

futur simple

je	gèlerai
tu	gèleras
il/elle	gèlera
nous	gèlerons
vous	gèlerez
ils/elles	gèleront

futur antérieur

j'	aurai	gelé
tu	auras	gelé
il/elle	aura	gelé
nous	aurons	gelé
vous	aurez	gelé
ils/elles	auront	gelé

passé simple

je	gelai
tu	gelas
il/elle	gela
nous	gelâmes
vous	gelâtes
ils/elles	gelèrent

passé antérieur

j'	eus	gelé
tu	eus	gelé
il/elle	eut	gelé
nous	eûmes	gelé
vous	eûtes	gelé
ils/elles	eurent	gelé

Subjonctif

présent

que je	gèle
que tu	gèles
qu' il/elle	gèle
que nous	gelions
que vous	geliez
qu' ils/elles	gèlent

imparfait

que je	gelasse
que tu	gelasses
qu' il/elle	gelât
que nous	gelassions
que vous	gelassiez
qu' ils/elles	gelassent

passé

que j'	aie	gelé
que tu	aies	gelé
qu' il/elle	ait	gelé
que nous	ayons	gelé
que vous	ayez	gelé
qu' ils/elles	aient	gelé

plus-que-parfait

que j'	eusse	gelé
que tu	eusses	gelé
qu' il/elle	eût	gelé
que nous	eussions	gelé
que vous	eussiez	gelé
qu' ils/elles	eussent	gelé

Conditionnel

présent

je	gèlerais
tu	gèlerais
il/elle	gèlerait
nous	gèlerions
vous	gèleriez
ils/elles	gèleraient

passé

j'	aurais	gelé
tu	aurais	gelé
il/elle	aurait	gelé
nous	aurions	gelé
vous	auriez	gelé
ils/elles	auraient	gelé

Impératif

présent

gèle
gelons
gelez

passé

aie	gelé
ayons	gelé
ayez	gelé

■ Devant une terminaison commençant par -o- ou -a-, le -c final de la base prend une cédille pour garder le son doux [s].

■ Attention à l'alternance des bases *dépèc-/dépec-* : elle existe au présent de l'indicatif, du subjonctif et de l'impératif.

Infinitif

présent	passé
dépecer	avoir dépecé

Participe

présent	passé
dépeçant	dépecé/ée, és/ées
	ayant dépecé

Indicatif

présent

je	dépèce
tu	dépèces
il/elle	dépèce
nous	dépeçons
vous	dépecez
ils/elles	dépècent

passé composé

j'	ai	dépecé
tu	as	dépecé
il/elle	a	dépecé
nous	avons	dépecé
vous	avez	dépecé
ils/elles	ont	dépecé

imparfait

je	dépeçais
tu	dépeçais
il/elle	dépeçait
nous	dépecions
vous	dépeciez
ils/elles	dépeçaient

plus-que-parfait

j'	avais	dépecé
tu	avais	dépecé
il/elle	avait	dépecé
nous	avions	dépecé
vous	aviez	dépecé
ils/elles	avaient	dépecé

futur simple

je	dépècerai
tu	dépèceras
il/elle	dépècera
nous	dépècerons
vous	dépècerez
ils/elles	dépèceront

futur antérieur

j'	aurai	dépecé
tu	auras	dépecé
il/elle	aura	dépecé
nous	aurons	dépecé
vous	aurez	dépecé
ils/elles	auront	dépecé

passé simple

je	dépeçai
tu	dépeças
il/elle	dépeça
nous	dépeçâmes
vous	dépeçâtes
ils/elles	dépecèrent

passé antérieur

j'	eus	dépecé
tu	eus	dépecé
il/elle	eut	dépecé
nous	eûmes	dépecé
vous	eûtes	dépecé
ils/elles	eurent	dépecé

Subjonctif

présent

que	je	dépèce
que	tu	dépèces
qu'	il/elle	dépèce
que	nous	dépecions
que	vous	dépeciez
qu'	ils/elles	dépècent

imparfait

que	je	dépeçasse
que	tu	dépeçasses
qu'	il/elle	dépeçât
que	nous	dépeçassions
que	vous	dépeçassiez
qu'	ils/elles	dépeçassent

passé

que	j'	aie	dépecé
que	tu	aies	dépecé
qu'	il/elle	ait	dépecé
que	nous	ayons	dépecé
que	vous	ayez	dépecé
qu'	ils/elles	aient	dépecé

plus-que-parfait

que	j'	eusse	dépecé
que	tu	eusses	dépecé
qu'	il/elle	eût	dépecé
que	nous	eussions	dépecé
que	vous	eussiez	dépecé
qu'	ils/elles	eussent	dépecé

Conditionnel

présent

je	dépècerais
tu	dépècerais
il/elle	dépècerait
nous	dépècerions
vous	dépèceriez
ils/elles	dépèceraient

passé

j'	aurais	dépecé
tu	aurais	dépecé
il/elle	aurait	dépecé
nous	aurions	dépecé
vous	auriez	dépecé
ils/elles	auraient	dépecé

Impératif

présent	passé	
dépèce	aie	dépecé
dépeçons	ayons	dépecé
dépecez	ayez	dépecé

■ C'est la base *jett-* (avec deux -*t*-) qui sert à construire les formes dont la terminaison commence par un -*e*-, sauf à la 2e pers. du pluriel de l'indicatif présent et de l'impératif présent.

■ Suivent ce modèle : la plupart des verbes en -*eter* (sauf ceux qui sont indiqués au tableau 27).

■ L'orthographe rectifiée préconise l'emploi du -*è*- (accent grave) pour marquer le son *e* ouvert [ɛ] dans tous les verbes en -*eter*, sauf pour le verbe *jeter* et ses dérivés, dont les formes sont bien stabilisées dans l'usage.

Infinitif

présent	passé
jeter	avoir jeté

Participe

présent	passé
jetant	jeté/ée, és/ées
	ayant jeté

Indicatif

présent

je	jette
tu	jettes
il/elle	jette
nous	jetons
vous	jetez
ils/elles	jettent

passé composé

j'	ai	jeté
tu	as	jeté
il/elle	a	jeté
nous	avons	jeté
vous	avez	jeté
ils/elles	ont	jeté

imparfait

je	jetais
tu	jetais
il/elle	jetait
nous	jetions
vous	jetiez
ils/elles	jetaient

plus-que-parfait

j'	avais	jeté
tu	avais	jeté
il/elle	avait	jeté
nous	avions	jeté
vous	aviez	jeté
ils/elles	avaient	jeté

futur simple

je	jetterai
tu	jetteras
il/elle	jettera
nous	jetterons
vous	jetterez
ils/elles	jetteront

futur antérieur

j'	aurai	jeté
tu	auras	jeté
il/elle	aura	jeté
nous	aurons	jeté
vous	aurez	jeté
ils/elles	auront	jeté

passé simple

je	jetai
tu	jetas
il/elle	jeta
nous	jetâmes
vous	jetâtes
ils/elles	jetèrent

passé antérieur

j'	eus	jeté
tu	eus	jeté
il/elle	eut	jeté
nous	eûmes	jeté
vous	eûtes	jeté
ils/elles	eurent	jeté

Subjonctif

présent

que	je	jette
que	tu	jettes
qu'	il/elle	jette
que	nous	jetions
que	vous	jetiez
qu'	ils/elles	jettent

imparfait

que	je	jetasse
que	tu	jetasses
qu'	il/elle	jetât
que	nous	jetassions
que	vous	jetassiez
qu'	ils/elles	jetassent

passé

que	j'	aie	jeté
que	tu	aies	jeté
qu'	il/elle	ait	jeté
que	nous	ayons	jeté
que	vous	ayez	jeté
qu'	ils/elles	aient	jeté

plus-que-parfait

que	j'	eusse	jeté
que	tu	eusses	jeté
qu'	il/elle	eût	jeté
que	nous	eussions	jeté
que	vous	eussiez	jeté
qu'	ils/elles	eussent	jeté

Conditionnel

présent

je	jetterais
tu	jetterais
il/elle	jetterait
nous	jetterions
vous	jetteriez
ils/elles	jetteraient

passé

j'	aurais	jeté
tu	aurais	jeté
il/elle	aurait	jeté
nous	aurions	jeté
vous	auriez	jeté
ils/elles	auraient	jeté

Impératif

présent	passé	
jette	aie	jeté
jetons	ayons	jeté
jetez	ayez	jeté

■ C'est la base *achèt-* (avec un -è-accent grave) qui sert à construire les formes dont la terminaison commence par un -e- muet.

■ Suivent ce modèle : *racheter* et quelques autres verbes en *-eter* (*bégueter, corseter, crocheter, fileter, fureter, haleter...*).

■ L'orthographe rectifiée préconise l'emploi du -è- (accent grave) pour marquer le son e ouvert [ɛ] dans tous les verbes en *-eter,* sauf pour le verbe *jeter* et ses dérivés, dont les formes sont bien stabilisées dans l'usage.

Infinitif

présent	passé
acheter	avoir acheté

Participe

présent	passé
achetant	acheté/ée, és/ées ayant acheté

Indicatif

présent

j'	achète
tu	achètes
il/elle	achète
nous	achetons
vous	achetez
ils/elles	achètent

passé composé

j'	ai	acheté
tu	as	acheté
il/elle	a	acheté
nous	avons	acheté
vous	avez	acheté
ils/elles	ont	acheté

imparfait

j'	achetais
tu	achetais
il/elle	achetait
nous	achetions
vous	achetiez
ils/elles	achetaient

plus-que-parfait

j'	avais	acheté
tu	avais	acheté
il/elle	avait	acheté
nous	avions	acheté
vous	aviez	acheté
ils/elles	avaient	acheté

futur simple

j'	achèterai
tu	achèteras
il/elle	achètera
nous	achèterons
vous	achèterez
ils/elles	achèteront

futur antérieur

j'	aurai	acheté
tu	auras	acheté
il/elle	aura	acheté
nous	aurons	acheté
vous	aurez	acheté
ils/elles	auront	acheté

passé simple

j'	achetai
tu	achetas
il/elle	acheta
nous	achetâmes
vous	achetâtes
ils/elles	achetèrent

passé antérieur

j'	eus	acheté
tu	eus	acheté
il/elle	eut	acheté
nous	eûmes	acheté
vous	eûtes	acheté
ils/elles	eurent	acheté

Subjonctif

présent

que	j'	achète
que	tu	achètes
qu'	il/elle	achète
que	nous	achetions
que	vous	achetiez
qu'	ils/elles	achètent

imparfait

que	j'	achetasse
que	tu	achetasses
qu'	il/elle	achetât
que	nous	achetassions
que	vous	achetassiez
qu'	ils/elles	achetassent

passé

que	j'	aie	acheté
que	tu	aies	acheté
qu'	il/elle	ait	acheté
que	nous	ayons	acheté
que	vous	ayez	acheté
qu'	ils/elles	aient	acheté

plus-que-parfait

que	j'	eusse	acheté
que	tu	eusses	acheté
qu'	il/elle	eût	acheté
que	nous	eussions	acheté
que	vous	eussiez	acheté
qu'	ils/elles	eussent	acheté

Conditionnel

présent

j'	achèterais
tu	achèterais
il/elle	achèterait
nous	achèterions
vous	achèteriez
ils/elles	achèteraient

passé

j'	aurais	acheté
tu	aurais	acheté
il/elle	aurait	acheté
nous	aurions	acheté
vous	auriez	acheté
ils/elles	auraient	acheté

Impératif

présent	passé	
achète	aie	acheté
achetons	ayons	acheté
achetez	ayez	acheté

28 PAYER (1)

1er GROUPE

- Ce verbe peut se conjuguer de deux façons (voir aussi tableau 29), mais celle-ci est la plus employée.
- La base *pai-* sert à construire les formes dont la terminaison commence par un *-e-* muet.
- *-y-* + *-i-* aux 1re et 2e pers. du plur. de l'indicatif imparfait et du subjonctif présent.
- Tous les verbes en *-ayer* (*balayer, effrayer, essayer, rayer...*) peuvent être conjugués de deux façons, comme *payer*.

Infinitif

présent	passé
payer	avoir payé

Participe

présent	passé
payant	payé/ée, és/ées
	ayant payé

Indicatif

présent
je	paie
tu	paies
il/elle	paie
nous	payons
vous	payez
ils/elles	paient

passé composé
j'	ai	payé
tu	as	payé
il/elle	a	payé
nous	avons	payé
vous	avez	payé
ils/elles	ont	payé

imparfait
je	payais
tu	payais
il/elle	payait
nous	payions
vous	payiez
ils/elles	payaient

plus-que-parfait
j'	avais	payé
tu	avais	payé
il/elle	avait	payé
nous	avions	payé
vous	aviez	payé
ils/elles	avaient	payé

futur simple
je	paierai
tu	paieras
il/elle	paiera
nous	paierons
vous	paierez
ils/elles	paieront

futur antérieur
j'	aurai	payé
tu	auras	payé
il/elle	aura	payé
nous	aurons	payé
vous	aurez	payé
ils/elles	auront	payé

passé simple
je	payai
tu	payas
il/elle	paya
nous	payâmes
vous	payâtes
ils/elles	payèrent

passé antérieur
j'	eus	payé
tu	eus	payé
il/elle	eut	payé
nous	eûmes	payé
vous	eûtes	payé
ils/elles	eurent	payé

Subjonctif

présent
que	je	paie
que	tu	paies
qu'	il/elle	paie
que	nous	payions
que	vous	payiez
qu'	ils/elles	paient

imparfait
que	je	payasse
que	tu	payasses
qu'	il/elle	payât
que	nous	payassions
que	vous	payassiez
qu'	ils/elles	payassent

passé
que	j'	aie	payé
que	tu	aies	payé
qu'	il/elle	ait	payé
que	nous	ayons	payé
que	vous	ayez	payé
qu'	ils/elles	aient	payé

plus-que-parfait
que	j'	eusse	payé
que	tu	eusses	payé
qu'	il/elle	eût	payé
que	nous	eussions	payé
que	vous	eussiez	payé
qu'	ils/elles	eussent	payé

Conditionnel

présent
je	paierais
tu	paierais
il/elle	paierait
nous	paierions
vous	paieriez
ils/elles	paieraient

passé
j'	aurais	payé
tu	aurais	payé
il/elle	aurait	payé
nous	aurions	payé
vous	auriez	payé
ils/elles	auraient	payé

Impératif

présent	passé	
paie	aie	payé
payons	ayons	payé
payez	ayez	payé

PAYER (2) 29

■ Le -y- de la base est présent à toutes les formes. Il est suivi d'un -i- aux deux premières personnes du pluriel de l'indicatif imparfait et du subjonctif présent.

■ Suivent ce modèle : les rares verbes en -eyer (*capeyer, faseyer, grasseyer, langueyer*).

Infinitif

présent	passé
payer	avoir payé

Participe

présent	passé
payant	payé/ée, és/ées
	ayant payé

Indicatif

présent
je	paye
tu	payes
il/elle	paye
nous	payons
vous	payez
ils/elles	payent

passé composé
j'	ai	payé
tu	as	payé
il/elle	a	payé
nous	avons	payé
vous	avez	payé
ils/elles	ont	payé

imparfait
je	payais
tu	payais
il/elle	payait
nous	payions
vous	payiez
ils/elles	payaient

plus-que-parfait
j'	avais	payé
tu	avais	payé
il/elle	avait	payé
nous	avions	payé
vous	aviez	payé
ils/elles	avaient	payé

futur simple
je	payerai
tu	payeras
il/elle	payera
nous	payerons
vous	payerez
ils/elles	payeront

futur antérieur
j'	aurai	payé
tu	auras	payé
il/elle	aura	payé
nous	aurons	payé
vous	aurez	payé
ils/elles	auront	payé

passé simple
je	payai
tu	payas
il/elle	paya
nous	payâmes
vous	payâtes
ils/elles	payèrent

passé antérieur
j'	eus	payé
tu	eus	payé
il/elle	eut	payé
nous	eûmes	payé
vous	eûtes	payé
ils/elles	eurent	payé

Subjonctif

présent
que	je	paye
que	tu	payes
qu'	il/elle	paye
que	nous	payions
que	vous	payiez
qu'	ils/elles	payent

imparfait
que	je	payasse
que	tu	payasses
qu'	il/elle	payât
que	nous	payassions
que	vous	payassiez
qu'	ils/elles	payassent

passé
que	j'	aie	payé
que	tu	aies	payé
qu'	il/elle	ait	payé
que	nous	ayons	payé
que	vous	ayez	payé
qu'	ils/elles	aient	payé

plus-que-parfait
que	j'	eusse	payé
que	tu	eusses	payé
qu'	il/elle	eût	payé
que	nous	eussions	payé
que	vous	eussiez	payé
qu'	ils/elles	eussent	payé

Conditionnel

présent
je	payerais
tu	payerais
il/elle	payerait
nous	payerions
vous	payeriez
ils/elles	payeraient

passé
j'	aurais	payé
tu	aurais	payé
il/elle	aurait	payé
nous	aurions	payé
vous	auriez	payé
ils/elles	auraient	payé

Impératif

présent	passé	
paye	aie	payé
payons	ayons	payé
payez	ayez	payé

■ La base *emploi-* sert obligatoirement à construire les formes dont la terminaison commence par un *-e-* muet.

■ *-y-* + *-i-* aux 1re et 2e pers. du pluriel de l'indicatif imparfait et du subjonctif présent.

■ Suivent ce modèle : tous les verbes en *-oyer* (*aboyer, nettoyer, tutoyer*...), sauf *envoyer* qui est irrégulier (voir tableau 32).

Infinitif

présent
employer

passé
avoir employé

Participe

présent
employant

passé
employé/ée, és/ées
ayant employé

Indicatif

présent
j'	emploie
tu	emploies
il/elle	emploie
nous	employons
vous	employez
ils/elles	emploient

passé composé
j'	ai	employé
tu	as	employé
il/elle	a	employé
nous	avons	employé
vous	avez	employé
ils/elles	ont	employé

imparfait
j'	employais
tu	employais
il/elle	employait
nous	employions
vous	employiez
ils/elles	employaient

plus-que-parfait
j'	avais	employé
tu	avais	employé
il/elle	avait	employé
nous	avions	employé
vous	aviez	employé
ils/elles	avaient	employé

futur simple
j'	emploierai
tu	emploieras
il/elle	emploiera
nous	emploierons
vous	emploierez
ils/elles	emploieront

futur antérieur
j'	aurai	employé
tu	auras	employé
il/elle	aura	employé
nous	aurons	employé
vous	aurez	employé
ils/elles	auront	employé

passé simple
j'	employai
tu	employas
il/elle	employa
nous	employâmes
vous	employâtes
ils/elles	employèrent

passé antérieur
j'	eus	employé
tu	eus	employé
il/elle	eut	employé
nous	eûmes	employé
vous	eûtes	employé
ils/elles	eurent	employé

Subjonctif

présent
que j'	emploie
que tu	emploies
qu' il/elle	emploie
que nous	employions
que vous	employiez
qu' ils/elles	emploient

imparfait
que j'	employasse
que tu	employasses
qu' il/elle	employât
que nous	employassions
que vous	employassiez
qu' ils/elles	employassent

passé
que j'	aie	employé
que tu	aies	employé
qu' il/elle	ait	employé
que nous	ayons	employé
que vous	ayez	employé
qu' ils/elles	aient	employé

plus-que-parfait
que j'	eusse	employé
que tu	eusses	employé
qu' il/elle	eût	employé
que nous	eussions	employé
que vous	eussiez	employé
qu' ils/elles	eussent	employé

Conditionnel

présent
j'	emploierais
tu	emploierais
il/elle	emploierait
nous	emploierions
vous	emploieriez
ils/elles	emploieraient

passé
j'	aurais	employé
tu	aurais	employé
il/elle	aurait	employé
nous	aurions	employé
vous	auriez	employé
ils/elles	auraient	employé

Impératif

présent
emploie
employons
employez

passé
aie	employé
ayons	employé
ayez	employé

■ C'est la base *essui-* qui sert obligatoirement à construire les formes dont la terminaison commence par un *-e-* muet.

■ *-y-* + *-i-* aux 1re et 2e pers. du pluriel de l'indicatif imparfait et du subjonctif présent.

■ Suivent ce modèle : les quelques verbes en *-uyer* (*appuyer, ennuyer, désennuyer, ressuyer*).

Infinitif

présent | **passé**
essuyer | avoir essuyé

Participe

présent | **passé**
essuyant | essuyé/ée, és/ées
| ayant essuyé

Indicatif

présent

j'	essuie
tu	essuies
il/elle	essuie
nous	essuyons
vous	essuyez
ils/elles	essuient

passé composé

j'	ai	essuyé
tu	as	essuyé
il/elle	a	essuyé
nous	avons	essuyé
vous	avez	essuyé
ils/elles	ont	essuyé

imparfait

j'	essuyais
tu	essuyais
il/elle	essuyait
nous	essuyions
vous	essuyiez
ils/elles	essuyaient

plus-que-parfait

j'	avais	essuyé
tu	avais	essuyé
il/elle	avait	essuyé
nous	avions	essuyé
vous	aviez	essuyé
ils/elles	avaient	essuyé

futur simple

j'	essuierai
tu	essuieras
il/elle	essuiera
nous	essuierons
vous	essuierez
ils/elles	essuieront

futur antérieur

j'	aurai	essuyé
tu	auras	essuyé
il/elle	aura	essuyé
nous	aurons	essuyé
vous	aurez	essuyé
ils/elles	auront	essuyé

passé simple

j'	essuyai
tu	essuyas
il/elle	essuya
nous	essuyâmes
vous	essuyâtes
ils/elles	essuyèrent

passé antérieur

j'	eus	essuyé
tu	eus	essuyé
il/elle	eut	essuyé
nous	eûmes	essuyé
vous	eûtes	essuyé
ils/elles	eurent	essuyé

Subjonctif

présent

que	j'	essuie
que	tu	essuies
qu'	il/elle	essuie
que	nous	essuyions
que	vous	essuyiez
qu'	ils/elles	essuient

imparfait

que	j'	essuyasse
que	tu	essuyasses
qu'	il/elle	essuyât
que	nous	essuyassions
que	vous	essuyassiez
qu'	ils/elles	essuyassent

passé

que	j'	aie	essuyé
que	tu	aies	essuyé
qu'	il/elle	ait	essuyé
que	nous	ayons	essuyé
que	vous	ayez	essuyé
qu'	ils/elles	aient	essuyé

plus-que-parfait

que	j'	eusse	essuyé
que	tu	eusses	essuyé
qu'	il/elle	eût	essuyé
que	nous	eussions	essuyé
que	vous	eussiez	essuyé
qu'	ils/elles	eussent	essuyé

Conditionnel

présent

j'	essuierais
tu	essuierais
il/elle	essuierait
nous	essuierions
vous	essuieriez
ils/elles	essuieraient

passé

j'	aurais	essuyé
tu	aurais	essuyé
il/elle	aurait	essuyé
nous	aurions	essuyé
vous	auriez	essuyé
ils/elles	auraient	essuyé

Impératif

présent | **passé**
essuie | aie essuyé
essuyons | ayons essuyé
essuyez | ayez essuyé

32 ENVOYER

- L'indicatif futur simple et le conditionnel présent sont construits sur le modèle du verbe *voir* (tableau 51), à l'aide de la base *enverr-*.
- Aux autres formes, mêmes particularités que le verbe *employer* (tableau 30).
- Se conjugue sur ce modèle : *renvoyer*, dérivé de *envoyer*. Les deux autres dérivés, *convoyer* et *dévoyer,* se conjuguent comme *employer* (tableau 30).

Infinitif

présent
envoyer

passé
avoir envoyé

Participe

présent
envoyant

passé
envoyé/ée, és/ées
ayant envoyé

Indicatif

présent
j' envoie
tu envoies
il/elle envoie
nous envoyons
vous envoyez
ils/elles envoient

passé composé
j' ai envoyé
tu as envoyé
il/elle a envoyé
nous avons envoyé
vous avez envoyé
ils/elles ont envoyé

imparfait
j' envoyais
tu envoyais
il/elle envoyait
nous envoyions
vous envoyiez
ils/elles envoyaient

plus-que-parfait
j' avais envoyé
tu avais envoyé
il/elle avait envoyé
nous avions envoyé
vous aviez envoyé
ils/elles avaient envoyé

futur simple
j' enverrai
tu enverras
il/elle enverra
nous enverrons
vous enverrez
ils/elles enverront

futur antérieur
j' aurai envoyé
tu auras envoyé
il/elle aura envoyé
nous aurons envoyé
vous aurez envoyé
ils/elles auront envoyé

passé simple
j' envoyai
tu envoyas
il/elle envoya
nous envoyâmes
vous envoyâtes
ils/elles envoyèrent

passé antérieur
j' eus envoyé
tu eus envoyé
il/elle eut envoyé
nous eûmes envoyé
vous eûtes envoyé
ils/elles eurent envoyé

Subjonctif

présent
que j' envoie
que tu envoies
qu' il/elle envoie
que nous envoyions
que vous envoyiez
qu' ils/elles envoient

imparfait
que j' envoyasse
que tu envoyasses
qu' il/elle envoyât
que nous envoyassions
que vous envoyassiez
qu' ils/elles envoyassent

passé
que j' aie envoyé
que tu aies envoyé
qu' il/elle ait envoyé
que nous ayons envoyé
que vous ayez envoyé
qu' ils/elles aient envoyé

plus-que-parfait
que j' eusse envoyé
que tu eusses envoyé
qu' il/elle eût envoyé
que nous eussions envoyé
que vous eussiez envoyé
qu' ils/elles eussent envoyé

Conditionnel

présent
j' enverrais
tu enverrais
il/elle enverrait
nous enverrions
vous enverriez
ils/elles enverraient

passé
j' aurais envoyé
tu aurais envoyé
il/elle aurait envoyé
nous aurions envoyé
vous auriez envoyé
ils/elles auraient envoyé

Impératif

présent
envoie
envoyons
envoyez

passé
aie envoyé
ayons envoyé
ayez envoyé

ARGUER 33

■ Deux prononciations et deux orthographes possibles pour certaines formes de ce verbe peu employé.

■ L'orthographe rectifiée préconise de placer le tréma sur la voyelle *u,* qui doit être prononcée dans toute la conjugaison.

Infinitif

présent	passé
arguer	avoir argué

Participe

présent	passé
arguant	argué
	ayant argué

Indicatif

présent
j'	argue/arguë
tu	argues/arguës
il/elle	argue/arguë
nous	arguons
vous	arguez
ils/elles	arguent/arguënt

passé composé
j'	ai	argué
tu	as	argué
il/elle	a	argué
nous	avons	argué
vous	avez	argué
ils/elles	ont	argué

imparfait
j'	arguais
tu	arguais
il/elle	arguait
nous	arguions/arguïons
vous	arguiez/arguïez
ils/elles	arguaient

plus-que-parfait
j'	avais	argué
tu	avais	argué
il/elle	avait	argué
nous	avions	argué
vous	aviez	argué
ils/elles	avaient	argué

futur simple
j'	arguerai/arguërai
tu	argueras/arguëras
il/elle	arguera/arguëra
nous	arguerons/arguërons
vous	arguerez/arguërez
ils/elles	argueront/arguëront

futur antérieur
j'	aurai	argué
tu	auras	argué
il/elle	aura	argué
nous	aurons	argué
vous	aurez	argué
ils/elles	auront	argué

passé simple
j'	arguai
tu	arguas
il/elle	argua
nous	arguâmes
vous	arguâtes
ils/elles	arguèrent

passé antérieur
j'	eus	argué
tu	eus	argué
il/elle	eut	argué
nous	eûmes	argué
vous	eûtes	argué
ils/elles	eurent	argué

Subjonctif

présent
que	j'	argue/arguë
que	tu	argues/arguës
qu'	il/elle	argue/arguë
que	nous	arguions/arguïons
que	vous	arguiez/arguïez
qu'	ils/elles	arguent/arguënt

imparfait
que	j'	arguasse
que	tu	arguasses
qu'	il/elle	arguât
que	nous	arguassions
que	vous	arguassiez
qu'	ils/elles	arguassent

passé
que	j'	aie	argué
que	tu	aies	argué
qu'	il/elle	ait	argué
que	nous	ayons	argué
que	vous	ayez	argué
qu'	ils/elles	aient	argué

plus-que-parfait
que	j'	eusse	argué
que	tu	eusses	argué
qu'	il/elle	eût	argué
que	nous	eussions	argué
que	vous	eussiez	argué
qu'	ils/elles	eussent	argué

Conditionnel

présent
j'	arguerais/arguërais
tu	arguerais/arguërais
il/elle	arguerait/arguërait
nous	arguerions/arguërions
vous	argueriez/arguëriez
ils/elles	argueraient/arguëraient

passé
j'	aurais	argué
tu	aurais	argué
il/elle	aurait	argué
nous	aurions	argué
vous	auriez	argué
ils/elles	auraient	argué

Impératif

présent
argue/arguë	
arguons	
arguez	

passé
aie	argué
ayons	argué
ayez	argué

- Modèle de conjugaison régulière du 2e groupe (infinitif en -ir, participe présent en -issant).
- *Bénir* a un 2nd p.p. : *bénit, bénite*, utilisé dans les expressions religieuses figées (*eau bénite*).
- *Fleurir* au sens de « prospérer » forme son part. prés. et son ind. imparf. sur une 2nde base : *flor-* (*florissant, florissait*).

Infinitif

présent	passé
finir	avoir fini

Participe

présent	passé
finissant	fini/ie, is/ies
	ayant fini

Indicatif

présent

je	finis
tu	finis
il/elle	finit
nous	finissons
vous	finissez
ils/elles	finissent

passé composé

j'	ai	fini
tu	as	fini
il/elle	a	fini
nous	avons	fini
vous	avez	fini
ils/elles	ont	fini

imparfait

je	finissais
tu	finissais
il/elle	finissait
nous	finissions
vous	finissiez
ils/elles	finissaient

plus-que-parfait

j'	avais	fini
tu	avais	fini
il/elle	avait	fini
nous	avions	fini
vous	aviez	fini
ils/elles	avaient	fini

futur simple

je	finirai
tu	finiras
il/elle	finira
nous	finirons
vous	finirez
ils/elles	finiront

futur antérieur

j'	aurai	fini
tu	auras	fini
il/elle	aura	fini
nous	aurons	fini
vous	aurez	fini
ils/elles	auront	fini

passé simple

je	finis
tu	finis
il/elle	finit
nous	finîmes
vous	finîtes
ils/elles	finirent

passé antérieur

j'	eus	fini
tu	eus	fini
il/elle	eut	fini
nous	eûmes	fini
vous	eûtes	fini
ils/elles	eurent	fini

Subjonctif

présent

que je	finisse
que tu	finisses
qu' il/elle	finisse
que nous	finissions
que vous	finissiez
qu' ils/elles	finissent

imparfait

que je	finisse
que tu	finisses
qu' il/elle	finît
que nous	finissions
que vous	finissiez
qu' ils/elles	finissent

passé

que j'	aie	fini
que tu	aies	fini
qu' il/elle	ait	fini
que nous	ayons	fini
que vous	ayez	fini
qu' ils/elles	aient	fini

plus-que-parfait

que j'	eusse	fini
que tu	eusses	fini
qu' il/elle	eût	fini
que nous	eussions	fini
que vous	eussiez	fini
qu' ils/elles	eussent	fini

Conditionnel

présent

je	finirais
tu	finirais
il/elle	finirait
nous	finirions
vous	finiriez
ils/elles	finiraient

passé

j'	aurais	fini
tu	aurais	fini
il/elle	aurait	fini
nous	aurions	fini
vous	auriez	fini
ils/elles	auraient	fini

Impératif

présent

finis
finissons
finissez

passé

aie	fini
ayons	fini
ayez	fini

■ Tréma sur le -i- partout sauf aux trois personnes du singulier de l'indicatif présent et à la 2e pers. du singulier de l'impératif présent.

■ Pas d'accent circonflexe aux 1re et 2e pers. du pluriel du passé simple et à la 3e pers. du singulier du subjonctif imparfait.

■ *S'entre-haïr* suit ce modèle mais forme ses temps composés avec *être*, comme tout verbe pronominal.

Infinitif

présent	**passé**
haïr	avoir haï

Participe

présent	**passé**
haïssant	haï/haïe, haïs/haïes
	ayant haï

Indicatif

présent

je	hais
tu	hais
il/elle	hait
nous	haïssons
vous	haïssez
ils/elles	haïssent

passé composé

j'	ai	haï
tu	as	haï
il/elle	a	haï
nous	avons	haï
vous	avez	haï
ils/elles	ont	haï

imparfait

je	haïssais
tu	haïssais
il/elle	haïssait
nous	haïssions
vous	haïssiez
ils/elles	haïssaient

plus-que-parfait

j'	avais	haï
tu	avais	haï
il/elle	avait	haï
nous	avions	haï
vous	aviez	haï
ils/elles	avaient	haï

futur simple

je	haïrai
tu	haïras
il/elle	haïra
nous	haïrons
vous	haïrez
ils/elles	haïront

futur antérieur

j'	aurai	haï
tu	auras	haï
il/elle	aura	haï
nous	aurons	haï
vous	aurez	haï
ils/elles	auront	haï

passé simple

je	haïs
tu	haïs
il/elle	haït
nous	haïmes
vous	haïtes
ils/elles	haïrent

passé antérieur

j'	eus	haï
tu	eus	haï
il/elle	eut	haï
nous	eûmes	haï
vous	eûtes	haï
ils/elles	eurent	haï

Subjonctif

présent

que	je	haïsse
que	tu	haïsses
qu'	il/elle	haïsse
que	nous	haïssions
que	vous	haïssiez
qu'	ils/elles	haïssent

imparfait

que	je	haïsse
que	tu	haïsses
qu'	il/elle	haït
que	nous	haïssions
que	vous	haïssiez
qu'	ils/elles	haïssent

passé

que	j'	aie	haï
que	tu	aies	haï
qu'	il/elle	ait	haï
que	nous	ayons	haï
que	vous	ayez	haï
qu'	ils/elles	aient	haï

plus-que-parfait

que	j'	eusse	haï
que	tu	eusses	haï
qu'	il/elle	eût	haï
que	nous	eussions	haï
que	vous	eussiez	haï
qu'	ils/elles	eussent	haï

Conditionnel

présent

je	haïrais
tu	haïrais
il/elle	haïrait
nous	haïrions
vous	haïriez
ils/elles	haïraient

passé

j'	aurais	haï
tu	aurais	haï
il/elle	aurait	haï
nous	aurions	haï
vous	auriez	haï
ils/elles	auraient	haï

Impératif

présent

| hais |
| haïssons |
| haïssez |

passé

aie	haï
ayons	haï
ayez	haï

■ Les trois personnes du singulier de l'indicatif présent et la 2ᵉ pers. du singulier de l'impératif présent sont formées sur la base courte *par-*.

■ Modèle de conjugaison régulière du 3ᵉ groupe (participe présent en *-ant*, infinitif autre que *-re*) pour les verbes dont les temps composés sont formés avec *être* (voir « Répertoire des verbes »).

■ Beaucoup de verbes en *-tir* suivent ce modèle. Mais *répartir* (= distribuer), *impartir*, *assortir* (et parfois *départir*) se conjuguent sur le modèle de *finir* (2ᵉ groupe, tableau 34).

Infinitif

présent	passé
partir	être parti/ie, is/ies

Participe

présent	passé
partant	parti/ie, is/ies
	étant parti/ie, is/ies

Indicatif

présent

je	pars
tu	pars
il/elle	part
nous	partons
vous	partez
ils/elles	partent

passé composé

je	suis	parti(e)
tu	es	parti(e)
il/elle	est	parti(e)
nous	sommes	parti(e)s
vous	êtes	parti(e)s
ils/elles	sont	parti(e)s

imparfait

je	partais
tu	partais
il/elle	partait
nous	partions
vous	partiez
ils/elles	partaient

plus-que-parfait

j'	étais	parti(e)
tu	étais	parti(e)
il/elle	était	parti(e)
nous	étions	parti(e)s
vous	étiez	parti(e)s
ils/elles	étaient	parti(e)s

futur simple

je	partirai
tu	partiras
il/elle	partira
nous	partirons
vous	partirez
ils/elles	partiront

futur antérieur

je	serai	parti(e)
tu	seras	parti(e)
il/elle	sera	parti(e)
nous	serons	parti(e)s
vous	serez	parti(e)s
ils/elles	seront	parti(e)s

passé simple

je	partis
tu	partis
il/elle	partit
nous	partîmes
vous	partîtes
ils/elles	partirent

passé antérieur

je	fus	parti(e)
tu	fus	parti(e)
il/elle	fut	parti(e)
nous	fûmes	parti(e)s
vous	fûtes	parti(e)s
ils/elles	furent	parti(e)s

Subjonctif

présent

que je	parte
que tu	partes
qu' il/elle	parte
que nous	partions
que vous	partiez
qu' ils/elles	partent

imparfait

que je	partisse
que tu	partisses
qu' il/elle	partît
que nous	partissions
que vous	partissiez
qu' ils/elles	partissent

passé

que je	sois	parti(e)
que tu	sois	parti(e)
qu' il/elle	soit	parti(e)
que nous	soyons	parti(e)s
que vous	soyez	parti(e)s
qu' ils/elles	soient	parti(e)s

plus-que-parfait

que je	fusse	parti(e)
que tu	fusses	parti(e)
qu' il/elle	fût	parti(e)
que nous	fussions	parti(e)s
que vous	fussiez	parti(e)s
qu' ils/elles	fussent	parti(e)s

Conditionnel

présent

je	partirais
tu	partirais
il/elle	partirait
nous	partirions
vous	partiriez
ils/elles	partiraient

passé

je	serais	parti(e)
tu	serais	parti(e)
il/elle	serait	parti(e)
nous	serions	parti(e)s
vous	seriez	parti(e)s
ils/elles	seraient	parti(e)s

Impératif

présent	passé	
pars	sois	parti(e)
partons	soyons	parti(e)s
partez	soyez	parti(e)s

■ Participe passé invariable.

■ Les trois personnes du singulier de l'indicatif présent et la 2ᵉ pers. du singulier de l'impératif présent sont formées sur la base courte *dor-*.

■ Suivent ce modèle : *endormir* et *rendormir* (qui peuvent être transitifs et ont alors un participe passé variable : *la malade qu'il a endormie*) ; *servir, desservir* et *resservir* (mais *asservir* suit le modèle *finir*, tableau 34).

Infinitif

présent	passé
dormir	avoir dormi

Participe

présent	passé
dormant	dormi
	ayant dormi

Indicatif

présent

je	dors
tu	dors
il/elle	dort
nous	dormons
vous	dormez
ils/elles	dorment

passé composé

j'	ai	dormi
tu	as	dormi
il/elle	a	dormi
nous	avons	dormi
vous	avez	dormi
ils/elles	ont	dormi

imparfait

je	dormais
tu	dormais
il/elle	dormait
nous	dormions
vous	dormiez
ils/elles	dormaient

plus-que-parfait

j'	avais	dormi
tu	avais	dormi
il/elle	avait	dormi
nous	avions	dormi
vous	aviez	dormi
ils/elles	avaient	dormi

futur simple

je	dormirai
tu	dormiras
il/elle	dormira
nous	dormirons
vous	dormirez
ils/elles	dormiront

futur antérieur

j'	aurai	dormi
tu	auras	dormi
il/elle	aura	dormi
nous	aurons	dormi
vous	aurez	dormi
ils/elles	auront	dormi

passé simple

je	dormis
tu	dormis
il/elle	dormit
nous	dormîmes
vous	dormîtes
ils/elles	dormirent

passé antérieur

j'	eus	dormi
tu	eus	dormi
il/elle	eut	dormi
nous	eûmes	dormi
vous	eûtes	dormi
ils/elles	eurent	dormi

Subjonctif

présent

que	je	dorme
que	tu	dormes
qu'	il/elle	dorme
que	nous	dormions
que	vous	dormiez
qu'	ils/elles	dorment

imparfait

que	je	dormisse
que	tu	dormisses
qu'	il/elle	dormît
que	nous	dormissions
que	vous	dormissiez
qu'	ils/elles	dormissent

passé

que	j'	aie	dormi
que	tu	aies	dormi
qu'	il/elle	ait	dormi
que	nous	ayons	dormi
que	vous	ayez	dormi
qu'	ils/elles	aient	dormi

plus-que-parfait

que	j'	eusse	dormi
que	tu	eusses	dormi
qu'	il/elle	eût	dormi
que	nous	eussions	dormi
que	vous	eussiez	dormi
qu'	ils/elles	eussent	dormi

Conditionnel

présent

je	dormirais
tu	dormirais
il/elle	dormirait
nous	dormirions
vous	dormiriez
ils/elles	dormiraient

passé

j'	aurais	dormi
tu	aurais	dormi
il/elle	aurait	dormi
nous	aurions	dormi
vous	auriez	dormi
ils/elles	auraient	dormi

Impératif

présent	passé	
dors	aie	dormi
dormons	ayons	dormi
dormez	ayez	dormi

38 BOUILLIR

■ Les trois personnes du singulier de l'indicatif présent et la 2ᵉ pers. du singulier de l'impératif présent sont formées sur la base courte *bou-*.

■ *Débouillir*, seul dérivé de *bouillir*, suit ce modèle.

Infinitif

présent	passé
bouillir	avoir bouilli

Participe

présent	passé
bouillant	bouilli/ie, is/ies
	ayant bouilli

Indicatif

présent

je	bous
tu	bous
il/elle	bout
nous	bouillons
vous	bouillez
ils/elles	bouillent

passé composé

j'	ai	bouilli
tu	as	bouilli
il/elle	a	bouilli
nous	avons	bouilli
vous	avez	bouilli
ils/elles	ont	bouilli

imparfait

je	bouillais
tu	bouillais
il/elle	bouillait
nous	bouillions
vous	bouilliez
ils/elles	bouillaient

plus-que-parfait

j'	avais	bouilli
tu	avais	bouilli
il/elle	avait	bouilli
nous	avions	bouilli
vous	aviez	bouilli
ils/elles	avaient	bouilli

futur simple

je	bouillirai
tu	bouilliras
il/elle	bouillira
nous	bouillirons
vous	bouillirez
ils/elles	bouilliront

futur antérieur

j'	aurai	bouilli
tu	auras	bouilli
il/elle	aura	bouilli
nous	aurons	bouilli
vous	aurez	bouilli
ils/elles	auront	bouilli

passé simple

je	bouillis
tu	bouillis
il/elle	bouillit
nous	bouillîmes
vous	bouillîtes
ils/elles	bouillirent

passé antérieur

j'	eus	bouilli
tu	eus	bouilli
il/elle	eut	bouilli
nous	eûmes	bouilli
vous	eûtes	bouilli
ils/elles	eurent	bouilli

Subjonctif

présent

que	je	bouille
que	tu	bouilles
qu'	il/elle	bouille
que	nous	bouillions
que	vous	bouilliez
qu'	ils/elles	bouillent

imparfait

que	je	bouillisse
que	tu	bouillisses
qu'	il/elle	bouillît
que	nous	bouillissions
que	vous	bouillissiez
qu'	ils/elles	bouillissent

passé

que	j'	aie	bouilli
que	tu	aies	bouilli
qu'	il/elle	ait	bouilli
que	nous	ayons	bouilli
que	vous	ayez	bouilli
qu'	ils/elles	aient	bouilli

plus-que-parfait

que	j'	eusse	bouilli
que	tu	eusses	bouilli
qu'	il/elle	eût	bouilli
que	nous	eussions	bouilli
que	vous	eussiez	bouilli
qu'	ils/elles	eussent	bouilli

Conditionnel

présent

je	bouillirais
tu	bouillirais
il/elle	bouillirait
nous	bouillirions
vous	bouilliriez
ils/elles	bouilliraient

passé

j'	aurais	bouilli
tu	aurais	bouilli
il/elle	aurait	bouilli
nous	aurions	bouilli
vous	auriez	bouilli
ils/elles	auraient	bouilli

Impératif

présent	passé	
bous	aie	bouilli
bouillons	ayons	bouilli
bouillez	ayez	bouilli

FUIR 39

- C'est la base *fuy-* (avec *-y-*) qui est utilisée pour construire les formes dont la terminaison comporte une voyelle autre qu'un *-e-* muet à l'oral.
- *-y-* + *-i-* aux 1re et 2e pers. du pluriel de l'indicatif imparfait et du subjonctif présent.
- *S'enfuir* suit ce modèle mais est conjugué avec *être* comme tout verbe pronominal.

Infinitif

présent	passé
fuir	avoir fui

Participe

présent	passé
fuyant	fui/fuie, fuis/fuies
	ayant fui

Indicatif

présent
je	fuis
tu	fuis
il/elle	fuit
nous	fuyons
vous	fuyez
ils/elles	fuient

passé composé
j'	ai	fui
tu	as	fui
il/elle	a	fui
nous	avons	fui
vous	avez	fui
ils/elles	ont	fui

imparfait
je	fuyais
tu	fuyais
il/elle	fuyait
nous	fuyions
vous	fuyiez
ils/elles	fuyaient

plus-que-parfait
j'	avais	fui
tu	avais	fui
il/elle	avait	fui
nous	avions	fui
vous	aviez	fui
ils/elles	avaient	fui

futur simple
je	fuirai
tu	fuiras
il/elle	fuira
nous	fuirons
vous	fuirez
ils/elles	fuiront

futur antérieur
j'	aurai	fui
tu	auras	fui
il/elle	aura	fui
nous	aurons	fui
vous	aurez	fui
ils/elles	auront	fui

passé simple
je	fuis
tu	fuis
il/elle	fuit
nous	fuîmes
vous	fuîtes
ils/elles	fuirent

passé antérieur
j'	eus	fui
tu	eus	fui
il/elle	eut	fui
nous	eûmes	fui
vous	eûtes	fui
ils/elles	eurent	fui

Subjonctif

présent
que	je	fuie
que	tu	fuies
qu'	il/elle	fuie
que	nous	fuyions
que	vous	fuyiez
qu'	ils/elles	fuient

imparfait
que	je	fuisse
que	tu	fuisses
qu'	il/elle	fuît
que	nous	fuissions
que	vous	fuissiez
qu'	ils/elles	fuissent

passé
que	j'	aie	fui
que	tu	aies	fui
qu'	il/elle	ait	fui
que	nous	ayons	fui
que	vous	ayez	fui
qu'	ils/elles	aient	fui

plus-que-parfait
que	j'	eusse	fui
que	tu	eusses	fui
qu'	il/elle	eût	fui
que	nous	eussions	fui
que	vous	eussiez	fui
qu'	ils/elles	eussent	fui

Conditionnel

présent
je	fuirais
tu	fuirais
il/elle	fuirait
nous	fuirions
vous	fuiriez
ils/elles	fuiraient

passé
j'	aurais	fui
tu	aurais	fui
il/elle	aurait	fui
nous	aurions	fui
vous	auriez	fui
ils/elles	auraient	fui

Impératif

présent	passé	
fuis	aie	fui
fuyons	ayons	fui
fuyez	ayez	fui

■ Une seule base (*revêt-*), toujours avec un accent circonflexe. Trois formes simples comportent donc deux accents circonflexes : la 1re et la 2e pers. du pluriel du passé simple et la 3e pers. du singulier du subjonctif imparfait.

■ *Vêtir* et *dévêtir* suivent ce modèle, mais il arrive que *vêtir* soit conjugué comme un verbe du 2e groupe (tableau 34), notamment à l'indicatif imparfait.

Infinitif

présent	passé
revêtir	avoir revêtu

Participe

présent	passé
revêtant	revêtu/ue, us/ues
	ayant revêtu

Indicatif

présent

je	revêts
tu	revêts
il/elle	revêt
nous	revêtons
vous	revêtez
ils/elles	revêtent

passé composé

j'	ai	revêtu
tu	as	revêtu
il/elle	a	revêtu
nous	avons	revêtu
vous	avez	revêtu
ils/elles	ont	revêtu

imparfait

je	revêtais
tu	revêtais
il/elle	revêtait
nous	revêtions
vous	revêtiez
ils/elles	revêtaient

plus-que-parfait

j'	avais	revêtu
tu	avais	revêtu
il/elle	avait	revêtu
nous	avions	revêtu
vous	aviez	revêtu
ils/elles	avaient	revêtu

futur simple

je	revêtirai
tu	revêtiras
il/elle	revêtira
nous	revêtirons
vous	revêtirez
ils/elles	revêtiront

futur antérieur

j'	aurai	revêtu
tu	auras	revêtu
il/elle	aura	revêtu
nous	aurons	revêtu
vous	aurez	revêtu
ils/elles	auront	revêtu

passé simple

je	revêtis
tu	revêtis
il/elle	revêtit
nous	revêtîmes
vous	revêtîtes
ils/elles	revêtirent

passé antérieur

j'	eus	revêtu
tu	eus	revêtu
il/elle	eut	revêtu
nous	eûmes	revêtu
vous	eûtes	revêtu
ils/elles	eurent	revêtu

Subjonctif

présent

que	je	revête
que	tu	revêtes
qu'	il/elle	revête
que	nous	revêtions
que	vous	revêtiez
qu'	ils/elles	revêtent

imparfait

que	je	revêtisse
que	tu	revêtisses
qu'	il/elle	revêtît
que	nous	revêtissions
que	vous	revêtissiez
qu'	ils/elles	revêtissent

passé

que	j'	aie	revêtu
que	tu	aies	revêtu
qu'	il/elle	ait	revêtu
que	nous	ayons	revêtu
que	vous	ayez	revêtu
qu'	ils/elles	aient	revêtu

plus-que-parfait

que	j'	eusse	revêtu
que	tu	eusses	revêtu
qu'	il/elle	eût	revêtu
que	nous	eussions	revêtu
que	vous	eussiez	revêtu
qu'	ils/elles	eussent	revêtu

Conditionnel

présent

je	revêtirais
tu	revêtirais
il/elle	revêtirait
nous	revêtirions
vous	revêtiriez
ils/elles	revêtiraient

passé

j'	aurais	revêtu
tu	aurais	revêtu
il/elle	aurait	revêtu
nous	aurions	revêtu
vous	auriez	revêtu
ils/elles	auraient	revêtu

Impératif

présent	passé	
revêts	aie	revêtu
revêtons	ayons	revêtu
revêtez	ayez	revêtu

■ Une seule base (*cour-*). Le futur simple et le conditionnel présent comportent donc deux -*r*- successifs (celui de base et celui de la terminaison), généralement prononcés.

■ Suivent ce modèle : les sept dérivés de *courir* (*accourir, concourir, discourir, encourir, parcourir, recourir, secourir*), mais *accourir* peut former ses temps composés avec *être* ou *avoir*.

Infinitif

présent	passé
courir	avoir couru

Participe

présent	passé
courant	couru/ue, us/ues
	ayant couru

Indicatif

présent

je	cours
tu	cours
il/elle	court
nous	courons
vous	courez
ils/elles	courent

passé composé

j'	ai	couru
tu	as	couru
il/elle	a	couru
nous	avons	couru
vous	avez	couru
ils/elles	ont	couru

imparfait

je	courais
tu	courais
il/elle	courait
nous	courions
vous	couriez
ils/elles	couraient

plus-que-parfait

j'	avais	couru
tu	avais	couru
il/elle	avait	couru
nous	avions	couru
vous	aviez	couru
ils/elles	avaient	couru

futur simple

je	courrai
tu	courras
il/elle	courra
nous	courrons
vous	courrez
ils/elles	courront

futur antérieur

j'	aurai	couru
tu	auras	couru
il/elle	aura	couru
nous	aurons	couru
vous	aurez	couru
ils/elles	auront	couru

passé simple

je	courus
tu	courus
il/elle	courut
nous	courûmes
vous	courûtes
ils/elles	coururent

passé antérieur

j'	eus	couru
tu	eus	couru
il/elle	eut	couru
nous	eûmes	couru
vous	eûtes	couru
ils/elles	eurent	couru

Subjonctif

présent

que	je	coure
que	tu	coures
qu'	il/elle	coure
que	nous	courions
que	vous	couriez
qu'	ils/elles	courent

imparfait

que	je	courusse
que	tu	courusses
qu'	il/elle	courût
que	nous	courussions
que	vous	courussiez
qu'	ils/elles	courussent

passé

que	j'	aie	couru
que	tu	aies	couru
qu'	il/elle	ait	couru
que	nous	ayons	couru
que	vous	ayez	couru
qu'	ils/elles	aient	couru

plus-que-parfait

que	j'	eusse	couru
que	tu	eusses	couru
qu'	il/elle	eût	couru
que	nous	eussions	couru
que	vous	eussiez	couru
qu'	ils/elles	eussent	couru

Conditionnel

présent

je	courrais
tu	courrais
il/elle	courrait
nous	courrions
vous	courriez
ils/elles	courraient

passé

j'	aurais	couru
tu	aurais	couru
il/elle	aurait	couru
nous	aurions	couru
vous	auriez	couru
ils/elles	auraient	couru

Impératif

présent

cours
courons
courez

passé

aie	couru
ayons	couru
ayez	couru

■ Attention au futur simple et au conditionnel présent : deux -r- partout (celui de la base *mour-* + celui de la terminaison).

■ C'est la base *meur-* qui sert à construire les formes du singulier et la 3e pers. du pluriel à l'indicatif et au subjonctif présents, ainsi que la 2e pers. du singulier de l'impératif présent.

■ La base courte, *mor-*, permet de former uniquement le participe passé.

■ Formes composées construites avec *être*.

Infinitif

présent	passé
mourir	être mort/morte, morts/mortes

Participe

présent	passé
mourant	mort/morte, morts/mortes
	étant mort/te, ts/tes

Indicatif

présent

je	meurs
tu	meurs
il/elle	meurt
nous	mourons
vous	mourez
ils/elles	meurent

passé composé

je	suis	mort(e)
tu	es	mort(e)
il/elle	est	mort(e)
nous	sommes	mort(e)s
vous	êtes	mort(e)s
ils/elles	sont	mort(e)s

imparfait

je	mourais
tu	mourais
il/elle	mourait
nous	mourions
vous	mouriez
ils/elles	mouraient

plus-que-parfait

j'	étais	mort(e)
tu	étais	mort(e)
il/elle	était	mort(e)
nous	étions	mort(e)s
vous	étiez	mort(e)s
ils/elles	étaient	mort(e)s

futur simple

je	mourrai
tu	mourras
il/elle	mourra
nous	mourrons
vous	mourrez
ils/elles	mourront

futur antérieur

je	serai	mort(e)
tu	seras	mort(e)
il/elle	sera	mort(e)
nous	serons	mort(e)s
vous	serez	mort(e)s
ils/elles	seront	mort(e)s

passé simple

je	mourus
tu	mourus
il/elle	mourut
nous	mourûmes
vous	mourûtes
ils/elles	moururent

passé antérieur

je	fus	mort(e)
tu	fus	mort(e)
il/elle	fut	mort(e)
nous	fûmes	mort(e)s
vous	fûtes	mort(e)s
ils/elles	furent	mort(e)s

Subjonctif

présent

que	je	meure
que	tu	meures
qu'	il/elle	meure
que	nous	mourions
que	vous	mouriez
qu'	ils/elles	meurent

imparfait

que	je	mourusse
que	tu	mourusses
qu'	il/elle	mourût
que	nous	mourussions
que	vous	mourussiez
qu'	ils/elles	mourussent

passé

que	je	sois	mort(e)
que	tu	sois	mort(e)
qu'	il/elle	soit	mort(e)
que	nous	soyons	mort(e)s
que	vous	soyez	mort(e)s
qu'	ils/elles	soient	mort(e)s

plus-que-parfait

que	je	fusse	mort(e)
que	tu	fusses	mort(e)
qu'	il/elle	fût	mort(e)
que	nous	fussions	mort(e)s
que	vous	fussiez	mort(e)s
qu'	ils/elles	fussent	mort(e)s

Conditionnel

présent

je	mourrais
tu	mourrais
il/elle	mourrait
nous	mourrions
vous	mourriez
ils/elles	mourraient

passé

je	serais	mort(e)
tu	serais	mort(e)
il/elle	serait	mort(e)
nous	serions	mort(e)s
vous	seriez	mort(e)s
ils/elles	seraient	mort(e)s

Impératif

présent	passé	
meurs	sois	mort(e)
mourons	soyons	mort(e)s
mourez	soyez	mort(e)s

ACQUÉRIR 43

■ Attention à l'accentuation -è- : accent grave devant une terminaison comportant un -e- muet.

■ Deux -r- au futur simple et au conditionnel présent.

■ Suivent ce modèle : *conquérir, reconquérir, s'enquérir* et *requérir*, mais *s'enquérir* (pronominal) se conjugue avec *être*. Le verbe *quérir* (= chercher) n'est aujourd'hui employé qu'à l'infinitif présent.

Infinitif

présent	passé
acquérir	avoir acquis

Participe

présent	passé
acquérant	acquis/ise, is/ises
	ayant acquis

Indicatif

présent

j'	acquiers
tu	acquiers
il/elle	acquiert
nous	acquérons
vous	acquérez
ils/elles	acquièrent

passé composé

j'	ai	acquis
tu	as	acquis
il/elle	a	acquis
nous	avons	acquis
vous	avez	acquis
ils/elles	ont	acquis

imparfait

j'	acquérais
tu	acquérais
il/elle	acquérait
nous	acquérions
vous	acquériez
ils/elles	acquéraient

plus-que-parfait

j'	avais	acquis
tu	avais	acquis
il/elle	avait	acquis
nous	avions	acquis
vous	aviez	acquis
ils/elles	avaient	acquis

futur simple

j'	acquerrai
tu	acquerras
il/elle	acquerra
nous	acquerrons
vous	acquerrez
ils/elles	acquerront

futur antérieur

j'	aurai	acquis
tu	auras	acquis
il/elle	aura	acquis
nous	aurons	acquis
vous	aurez	acquis
ils/elles	auront	acquis

passé simple

j'	acquis
tu	acquis
il/elle	acquit
nous	acquîmes
vous	acquîtes
ils/elles	acquirent

passé antérieur

j'	eus	acquis
tu	eus	acquis
il/elle	eut	acquis
nous	eûmes	acquis
vous	eûtes	acquis
ils/elles	eurent	acquis

Subjonctif

présent

que	j'	acquière
que	tu	acquières
qu'	il/elle	acquière
que	nous	acquérions
que	vous	acquériez
qu'	ils/elles	acquièrent

imparfait

que	j'	acquisse
que	tu	acquisses
qu'	il/elle	acquît
que	nous	acquissions
que	vous	acquissiez
qu'	ils/elles	acquissent

passé

que	j'	aie	acquis
que	tu	aies	acquis
qu'	il/elle	ait	acquis
que	nous	ayons	acquis
que	vous	ayez	acquis
qu'	ils/elles	aient	acquis

plus-que-parfait

que	j'	eusse	acquis
que	tu	eusses	acquis
qu'	il/elle	eût	acquis
que	nous	eussions	acquis
que	vous	eussiez	acquis
qu'	ils/elles	eussent	acquis

Conditionnel

présent

j'	acquerrais
tu	acquerrais
il/elle	acquerrait
nous	acquerrions
vous	acquerriez
ils/elles	acquerraient

passé

j'	aurais	acquis
tu	aurais	acquis
il/elle	aurait	acquis
nous	aurions	acquis
vous	auriez	acquis
ils/elles	auraient	acquis

Impératif

présent	passé	
acquiers	aie	acquis
acquérons	ayons	acquis
acquérez	ayez	acquis

■ Les terminaisons de l'indicatif présent, du subjonctif présent et de l'impératif présent sont identiques à celles des verbes réguliers du 1er groupe (en -er).

■ Les terminaisons du futur simple et du conditionnel présent sont celles des verbes du 2e groupe (en -ir, -issant).

■ Suivent ce modèle : les dérivés d'ouvrir (entrouvrir, rouvrir) ; couvrir et ses dérivés (découvrir, recouvrir) ; offrir et souffrir.

Infinitif

présent	passé
ouvrir	avoir ouvert

Participe

présent	passé
ouvrant	ouvert/te, ts/tes
	ayant ouvert

Indicatif

présent

j'	ouvre
tu	ouvres
il/elle	ouvre
nous	ouvrons
vous	ouvrez
ils/elles	ouvrent

passé composé

j'	ai	ouvert
tu	as	ouvert
il/elle	a	ouvert
nous	avons	ouvert
vous	avez	ouvert
ils/elles	ont	ouvert

imparfait

j'	ouvrais
tu	ouvrais
il/elle	ouvrait
nous	ouvrions
vous	ouvriez
ils/elles	ouvraient

plus-que-parfait

j'	avais	ouvert
tu	avais	ouvert
il/elle	avait	ouvert
nous	avions	ouvert
vous	aviez	ouvert
ils/elles	avaient	ouvert

futur simple

j'	ouvrirai
tu	ouvriras
il/elle	ouvrira
nous	ouvrirons
vous	ouvrirez
ils/elles	ouvriront

futur antérieur

j'	aurai	ouvert
tu	auras	ouvert
il/elle	aura	ouvert
nous	aurons	ouvert
vous	aurez	ouvert
ils/elles	auront	ouvert

passé simple

j'	ouvris
tu	ouvris
il/elle	ouvrit
nous	ouvrîmes
vous	ouvrîtes
ils/elles	ouvrirent

passé antérieur

j'	eus	ouvert
tu	eus	ouvert
il/elle	eut	ouvert
nous	eûmes	ouvert
vous	eûtes	ouvert
ils/elles	eurent	ouvert

Subjonctif

présent

que	j'	ouvre
que	tu	ouvres
qu'	il/elle	ouvre
que	nous	ouvrions
que	vous	ouvriez
qu'	ils/elles	ouvrent

imparfait

que	j'	ouvrisse
que	tu	ouvrisses
qu'	il/elle	ouvrît
que	nous	ouvrissions
que	vous	ouvrissiez
qu'	ils/elles	ouvrissent

passé

que	j'	aie	ouvert
que	tu	aies	ouvert
qu'	il/elle	ait	ouvert
que	nous	ayons	ouvert
que	vous	ayez	ouvert
qu'	ils/elles	aient	ouvert

plus-que-parfait

que	j'	eusse	ouvert
que	tu	eusses	ouvert
qu'	il/elle	eût	ouvert
que	nous	eussions	ouvert
que	vous	eussiez	ouvert
qu'	ils/elles	eussent	ouvert

Conditionnel

présent

j'	ouvrirais
tu	ouvrirais
il/elle	ouvrirait
nous	ouvririons
vous	ouvririez
ils/elles	ouvriraient

passé

j'	aurais	ouvert
tu	aurais	ouvert
il/elle	aurait	ouvert
nous	aurions	ouvert
vous	auriez	ouvert
ils/elles	auraient	ouvert

Impératif

présent

ouvre
ouvrons
ouvrez

passé

aie	ouvert
ayons	ouvert
ayez	ouvert

CUEILLIR 45

■ Attention à l'orthographe de la base : pour prendre le son dur [k], le *c-* est suivi d'un -*u*- : *cueillir*.

■ Le passé simple et le subjonctif imparfait sont les deux seuls temps simples qui ont les terminaisons du 3e groupe. Les autres temps simples sont formés avec les terminaisons du 1er groupe (voir tableau 12).

■ *Accueillir* et *recueillir* suivent ce modèle.

Infinitif

présent
cueillir

passé
avoir cueilli

Participe

présent
cueillant

passé
cueilli/ie, is/ies
ayant cueilli

Indicatif

présent

je	cueille
tu	cueilles
il/elle	cueille
nous	cueillons
vous	cueillez
ils/elles	cueillent

passé composé

j'	ai	cueilli
tu	as	cueilli
il/elle	a	cueilli
nous	avons	cueilli
vous	avez	cueilli
ils/elles	ont	cueilli

imparfait

je	cueillais
tu	cueillais
il/elle	cueillait
nous	cueillions
vous	cueilliez
ils/elles	cueillaient

plus-que-parfait

j'	avais	cueilli
tu	avais	cueilli
il/elle	avait	cueilli
nous	avions	cueilli
vous	aviez	cueilli
ils/elles	avaient	cueilli

futur simple

je	cueillerai
tu	cueilleras
il/elle	cueillera
nous	cueillerons
vous	cueillerez
ils/elles	cueilleront

futur antérieur

j'	aurai	cueilli
tu	auras	cueilli
il/elle	aura	cueilli
nous	aurons	cueilli
vous	aurez	cueilli
ils/elles	auront	cueilli

passé simple

je	cueillis
tu	cueillis
il/elle	cueillit
nous	cueillîmes
vous	cueillîtes
ils/elles	cueillirent

passé antérieur

j'	eus	cueilli
tu	eus	cueilli
il/elle	eut	cueilli
nous	eûmes	cueilli
vous	eûtes	cueilli
ils/elles	eurent	cueilli

Subjonctif

présent

que	je	cueille
que	tu	cueilles
qu'	il/elle	cueille
que	nous	cueillions
que	vous	cueilliez
qu'	ils/elles	cueillent

imparfait

que	je	cueillisse
que	tu	cueillisses
qu'	il/elle	cueillît
que	nous	cueillissions
que	vous	cueillissiez
qu'	ils/elles	cueillissent

passé

que	j'	aie	cueilli
que	tu	aies	cueilli
qu'	il/elle	ait	cueilli
que	nous	ayons	cueilli
que	vous	ayez	cueilli
qu'	ils/elles	aient	cueilli

plus-que-parfait

que	j'	eusse	cueilli
que	tu	eusses	cueilli
qu'	il/elle	eût	cueilli
que	nous	eussions	cueilli
que	vous	eussiez	cueilli
qu'	ils/elles	eussent	cueilli

Conditionnel

présent

je	cueillerais
tu	cueillerais
il/elle	cueillerait
nous	cueillerions
vous	cueilleriez
ils/elles	cueilleraient

passé

j'	aurais	cueilli
tu	aurais	cueilli
il/elle	aurait	cueilli
nous	aurions	cueilli
vous	auriez	cueilli
ils/elles	auraient	cueilli

Impératif

présent

| cueille |
| cueillons |
| cueillez |

passé

aie	cueilli
ayons	cueilli
ayez	cueilli

■ Participe passé invariable.

■ Les terminaisons du présent de l'indicatif, du subjonctif et de l'impératif sont identiques à celles des verbes du 1er groupe (voir tableau 12).

■ *Assaillir* et *tressaillir* suivent ce modèle. *Faillir* (employé surtout à l'inf., au passé simple et aux temps composés) a un part. passé invariable et suit le modèle de *finir* (tableau 34) au présent de l'ind., de l'impér. et du subj., ainsi qu'à l'ind. imparf.

Infinitif

présent	passé
défaillir	avoir défailli

Participe

présent	passé
défaillant	défailli
	ayant défailli

Indicatif

présent		passé composé		
je	défaille	j'	ai	défailli
tu	défailles	tu	as	défailli
il/elle	défaille	il/elle	a	défailli
nous	défaillons	nous	avons	défailli
vous	défaillez	vous	avez	défailli
ils/elles	défaillent	ils/elles	ont	défailli

imparfait		plus-que-parfait		
je	défaillais	j'	avais	défailli
tu	défaillais	tu	avais	défailli
il/elle	défaillait	il/elle	avait	défailli
nous	défaillions	nous	avions	défailli
vous	défailliez	vous	aviez	défailli
ils/elles	défaillaient	ils/elles	avaient	défailli

futur simple		futur antérieur		
je	défaillirai	j'	aurai	défailli
tu	défailliras	tu	auras	défailli
il/elle	défaillira	il/elle	aura	défailli
nous	défaillirons	nous	aurons	défailli
vous	défaillirez	vous	aurez	défailli
ils/elles	défailliront	ils/elles	auront	défailli

passé simple		passé antérieur		
je	défaillis	j'	eus	défailli
tu	défaillis	tu	eus	défailli
il/elle	défaillit	il/elle	eut	défailli
nous	défaillîmes	nous	eûmes	défailli
vous	défaillîtes	vous	eûtes	défailli
ils/elles	défaillirent	ils/elles	eurent	défailli

Subjonctif

présent		
que	je	défaille
que	tu	défailles
qu'	il/elle	défaille
que	nous	défaillions
que	vous	défailliez
qu'	ils/elles	défaillent

imparfait		
que	je	défaillisse
que	tu	défaillisses
qu'	il/elle	défaillît
que	nous	défaillissions
que	vous	défaillissiez
qu'	ils/elles	défaillissent

passé			
que	j'	aie	défailli
que	tu	aies	défailli
qu'	il/elle	ait	défailli
que	nous	ayons	défailli
que	vous	ayez	défailli
qu'	ils/elles	aient	défailli

plus-que-parfait			
que	j'	eusse	défailli
que	tu	eusses	défailli
qu'	il/elle	eût	défailli
que	nous	eussions	défailli
que	vous	eussiez	défailli
qu'	ils/elles	eussent	défailli

Conditionnel

présent		passé		
je	défaillirais	j'	aurais	défailli
tu	défaillirais	tu	aurais	défailli
il/elle	défaillirait	il/elle	aurait	défailli
nous	défaillirions	nous	aurions	défailli
vous	défailliriez	vous	auriez	défailli
ils/elles	défailliraient	ils/elles	auraient	défailli

Impératif

présent	passé	
défaille	aie	défailli
défaillons	ayons	défailli
défaillez	ayez	défailli

■ Verbe archaïque, à deux formes, employé aujourd'hui seulement à l'infinitif présent, au participe passé et aux temps composés, par exemple dans l'expression *j'ai ouï dire que...*

Infinitif

présent	passé
ouïr	avoir ouï

Participe

présent	passé
oyant	ouï/ouïe, ouïs/ouïes
	ayant ouï

Indicatif

présent

j'	ouïs/ois
tu	ouïs/ois
il/elle	ouït/oit
nous	ouïssons/oyons
vous	ouïssez/oyez
ils/elles	ouïent/oient

passé composé

j'	ai	ouï
tu	as	ouï
il/elle	a	ouï
nous	avons	ouï
vous	avez	ouï
ils/elles	ont	ouï

imparfait

j'	ouïssais/oyais
tu	ouïssais/oyais
il/elle	ouïssait/oyait
nous	ouïssions/oyions
vous	ouïssiez/oyiez
ils/elles	ouïssaient/oyaient

plus-que-parfait

j'	avais	ouï
tu	avais	ouï
il/elle	avait	ouï
nous	avions	ouï
vous	aviez	ouï
ils/elles	avaient	ouï

futur simple

j'	ouïrai/orrai
tu	ouïras/orras
il/elle	ouïra/orra
nous	ouïrons/orrons
vous	ouïrez/orrez
ils/elles	ouïront/orront

futur antérieur

j'	aurai	ouï
tu	auras	ouï
il/elle	aura	ouï
nous	aurons	ouï
vous	aurez	ouï
ils/elles	auront	ouï

passé simple

j'	ouïs
tu	ouïs
il/elle	ouït
nous	ouïmes
vous	ouïtes
ils/elles	ouïrent

passé antérieur

j'	eus	ouï
tu	eus	ouï
il/elle	eut	ouï
nous	eûmes	ouï
vous	eûtes	ouï
ils/elles	eurent	ouï

Subjonctif

présent

que	j'	ouïsse/oie
que	tu	ouïsses/oies
qu'	il/elle	ouïsse/oie
que	nous	ouïssions/oyions
que	vous	ouïssiez/oyiez
qu'	ils/elles	ouïssent/oient

imparfait

que	j'	ouïsse
que	tu	ouïsses
qu'	il/elle	ouït
que	nous	ouïssions
que	vous	ouïssiez
qu'	ils/elles	ouïssent

passé

que	j'	aie	ouï
que	tu	aies	ouï
qu'	il/elle	ait	ouï
que	nous	ayons	ouï
que	vous	ayez	ouï
qu'	ils/elles	aient	ouï

plus-que-parfait

que	j'	eusse	ouï
que	tu	eusses	ouï
qu'	il/elle	eût	ouï
que	nous	eussions	ouï
que	vous	eussiez	ouï
qu'	ils/elles	eussent	ouï

Conditionnel

présent

j'	ouïrais/orrais
tu	ouïrais/orrais
il/elle	ouïrait/orrait
nous	ouïrions/orrions
vous	ouïriez/orriez
ils/elles	ouïraient/orraient

passé

j'	aurais	ouï
tu	aurais	ouï
il/elle	aurait	ouï
nous	aurions	ouï
vous	auriez	ouï
ils/elles	auraient	ouï

Impératif

présent	passé	
ouïs/ois	aie	ouï
ouïssons/oyons	ayons	ouï
ouïssez/oyez	ayez	ouï

48 GÉSIR

3e GROUPE

■ Verbe archaïque et défectif.

■ Attention à l'accent circonflexe de la 3e personne du singulier à l'indicatif présent ; il figure aussi dans l'expression *ci-gît* (= ici gît, ici repose).

Infinitif

présent	passé
gésir	*inusité*

Participe

présent	passé
gisant	*inusité*

Indicatif

présent		imparfait	
je	gis	je	gisais
tu	gis	tu	gisais
il/elle	gît	il/elle	gisait
nous	gisons	nous	gisions
vous	gisez	vous	gisiez
ils/elles	gisent	ils/elles	gisaient

49 SAILLIR

3e GROUPE

■ Verbe défectif, qui signifie au sens propre « faire saillie par rapport à un plan, dépasser ».

■ Participe passé invariable.

■ Le verbe homonyme *saillir* (= s'accoupler, en parlant d'animaux) suit le modèle *finir* (tableau 34) ; il s'emploie surtout à l'infinitif et aux 3es personnes. Attention : *assaillir* se conjugue comme *défaillir* (tableau 46).

Infinitif

présent	passé
saillir	avoir sailli

Participe

présent	passé
saillant	sailli, ayant sailli

Indicatif

présent		passé composé		
il/elle	saille	il/elle	a	sailli
ils/elles	saillent	ils/elles	ont	sailli

imparfait		plus-que-parfait		
il/elle	saillait	il/elle	avait	sailli
ils/elles	saillaient	ils/elles	avaient	sailli

futur simple		futur antérieur		
il/elle	saillera	il/elle	aura	sailli
ils/elles	sailleront	ils/elles	auront	sailli

passé simple		passé antérieur		
il/elle	saillit	il/elle	eut	sailli
ils/elles	saillirent	ils/elles	eurent	sailli

Subjonctif

présent		
qu' il/elle	saille
qu' ils/elles	saillent

imparfait		
qu' il/elle	saillît
qu' ils/elles	saillissent

passé		
qu' il/elle	ait	sailli
qu' ils/elles	aient	sailli

plus-que-parfait		
qu' il/elle	eût	sailli
qu' ils/elles	eussent	sailli

Conditionnel

présent		passé		
il/elle	saillerait	il/elle	aurait	sailli
ils/elles	sailleraient	ils/elles	auraient	sailli

Impératif

présent	passé
inusité	*inusité*

■ Le -c- contenu dans les bases prend une cédille devant -o- et -u- pour garder le son doux [s].

■ *Apercevoir, concevoir, décevoir, entr'apercevoir* et *percevoir* suivent ce modèle.

Infinitif

présent	passé
recevoir	avoir reçu

Participe

présent	passé
recevant	reçu/ue, us/ues
	ayant reçu

Indicatif

présent

je	reçois
tu	reçois
il/elle	reçoit
nous	recevons
vous	recevez
ils/elles	reçoivent

passé composé

j'	ai	reçu
tu	as	reçu
il/elle	a	reçu
nous	avons	reçu
vous	avez	reçu
ils/elles	ont	reçu

imparfait

je	recevais
tu	recevais
il/elle	recevait
nous	recevions
vous	receviez
ils/elles	recevaient

plus-que-parfait

j'	avais	reçu
tu	avais	reçu
il/elle	avait	reçu
nous	avions	reçu
vous	aviez	reçu
ils/elles	avaient	reçu

futur simple

je	recevrai
tu	recevras
il/elle	recevra
nous	recevrons
vous	recevrez
ils/elles	recevront

futur antérieur

j'	aurai	reçu
tu	auras	reçu
il/elle	aura	reçu
nous	aurons	reçu
vous	aurez	reçu
ils/elles	auront	reçu

passé simple

je	reçus
tu	reçus
il/elle	reçut
nous	reçûmes
vous	reçûtes
ils/elles	reçurent

passé antérieur

j'	eus	reçu
tu	eus	reçu
il/elle	eut	reçu
nous	eûmes	reçu
vous	eûtes	reçu
ils/elles	eurent	reçu

Subjonctif

présent

que	je	reçoive
que	tu	reçoives
qu'	il/elle	reçoive
que	nous	recevions
que	vous	receviez
qu'	ils/elles	reçoivent

imparfait

que	je	reçusse
que	tu	reçusses
qu'	il/elle	reçût
que	nous	reçussions
que	vous	reçussiez
qu'	ils/elles	reçussent

passé

que	j'	aie	reçu
que	tu	aies	reçu
qu'	il/elle	ait	reçu
que	nous	ayons	reçu
que	vous	ayez	reçu
qu'	ils/elles	aient	reçu

plus-que-parfait

que	j'	eusse	reçu
que	tu	eusses	reçu
qu'	il/elle	eût	reçu
que	nous	eussions	reçu
que	vous	eussiez	reçu
qu'	ils/elles	eussent	reçu

Conditionnel

présent

je	recevrais
tu	recevrais
il/elle	recevrait
nous	recevrions
vous	recevriez
ils/elles	recevraient

passé

j'	aurais	reçu
tu	aurais	reçu
il/elle	aurait	reçu
nous	aurions	reçu
vous	auriez	reçu
ils/elles	auraient	reçu

Impératif

présent	passé	
reçois	aie	reçu
recevons	ayons	reçu
recevez	ayez	reçu

115

51 VOIR

3ᵉ GROUPE

- Futur simple et conditionnel présent formés sur la base *ver-* : le *-r* final de la base et le *r-* initial des terminaisons se juxtaposent (*-rr-*).
- *-y-* + *-i-* aux deux premières personnes du pluriel de l'indicatif imparfait et du subjonctif présent.
- *Entrevoir* et *revoir* suivent ce modèle.

Infinitif

présent
voir

passé
avoir vu

Participe

présent
voyant

passé
vu/vue, vus/vues
ayant vu

Indicatif

présent
je	vois
tu	vois
il/elle	voit
nous	voyons
vous	voyez
ils/elles	voient

passé composé
j'	ai	vu
tu	as	vu
il/elle	a	vu
nous	avons	vu
vous	avez	vu
ils/elles	ont	vu

imparfait
je	voyais
tu	voyais
il/elle	voyait
nous	voyions
vous	voyiez
ils/elles	voyaient

plus-que-parfait
j'	avais	vu
tu	avais	vu
il/elle	avait	vu
nous	avions	vu
vous	aviez	vu
ils/elles	avaient	vu

futur simple
je	verrai
tu	verras
il/elle	verra
nous	verrons
vous	verrez
ils/elles	verront

futur antérieur
j'	aurai	vu
tu	auras	vu
il/elle	aura	vu
nous	aurons	vu
vous	aurez	vu
ils/elles	auront	vu

passé simple
je	vis
tu	vis
il/elle	vit
nous	vîmes
vous	vîtes
ils/elles	virent

passé antérieur
j'	eus	vu
tu	eus	vu
il/elle	eut	vu
nous	eûmes	vu
vous	eûtes	vu
ils/elles	eurent	vu

Subjonctif

présent
que	je	voie
que	tu	voies
qu'	il/elle	voie
que	nous	voyions
que	vous	voyiez
qu'	ils/elles	voient

imparfait
que	je	visse
que	tu	visses
qu'	il/elle	vît
que	nous	vissions
que	vous	vissiez
qu'	ils/elles	vissent

passé
que	j'	aie	vu
que	tu	aies	vu
qu'	il/elle	ait	vu
que	nous	ayons	vu
que	vous	ayez	vu
qu'	ils/elles	aient	vu

plus-que-parfait
que	j'	eusse	vu
que	tu	eusses	vu
qu'	il/elle	eût	vu
que	nous	eussions	vu
que	vous	eussiez	vu
qu'	ils/elles	eussent	vu

Conditionnel

présent
je	verrais
tu	verrais
il/elle	verrait
nous	verrions
vous	verriez
ils/elles	verraient

passé
j'	aurais	vu
tu	aurais	vu
il/elle	aurait	vu
nous	aurions	vu
vous	auriez	vu
ils/elles	auraient	vu

Impératif

présent
vois
voyons
voyez

passé
aie	vu
ayons	vu
ayez	vu

116

PRÉVOIR 52

■ -y- + -i- aux deux premières personnes du pluriel de l'indicatif imparfait et du subjonctif présent.

■ Futur simple et conditionnel présent formés de manière régulière : base *prévoi-* + terminaisons.

Infinitif

présent	passé
prévoir	avoir prévu

Participe

présent	passé
prévoyant	prévu/ue, us/ues
	ayant prévu

Indicatif

présent

je	prévois
tu	prévois
il/elle	prévoit
nous	prévoyons
vous	prévoyez
ils/elles	prévoient

passé composé

j'	ai	prévu
tu	as	prévu
il/elle	a	prévu
nous	avons	prévu
vous	avez	prévu
ils/elles	ont	prévu

imparfait

je	prévoyais
tu	prévoyais
il/elle	prévoyait
nous	prévoyions
vous	prévoyiez
ils/elles	prévoyaient

plus-que-parfait

j'	avais	prévu
tu	avais	prévu
il/elle	avait	prévu
nous	avions	prévu
vous	aviez	prévu
ils/elles	avaient	prévu

futur simple

je	prévoirai
tu	prévoiras
il/elle	prévoira
nous	prévoirons
vous	prévoirez
ils/elles	prévoiront

futur antérieur

j'	aurai	prévu
tu	auras	prévu
il/elle	aura	prévu
nous	aurons	prévu
vous	aurez	prévu
ils/elles	auront	prévu

passé simple

je	prévis
tu	prévis
il/elle	prévit
nous	prévîmes
vous	prévîtes
ils/elles	prévirent

passé antérieur

j'	eus	prévu
tu	eus	prévu
il/elle	eut	prévu
nous	eûmes	prévu
vous	eûtes	prévu
ils/elles	eurent	prévu

Subjonctif

présent

que	je	prévoie
que	tu	prévoies
qu'	il/elle	prévoie
que	nous	prévoyions
que	vous	prévoyiez
qu'	ils/elles	prévoient

imparfait

que	je	prévisse
que	tu	prévisses
qu'	il/elle	prévît
que	nous	prévissions
que	vous	prévissiez
qu'	ils/elles	prévissent

passé

que	j'	aie	prévu
que	tu	aies	prévu
qu'	il/elle	ait	prévu
que	nous	ayons	prévu
que	vous	ayez	prévu
qu'	ils/elles	aient	prévu

plus-que-parfait

que	j'	eusse	prévu
que	tu	eusses	prévu
qu'	il/elle	eût	prévu
que	nous	eussions	prévu
que	vous	eussiez	prévu
qu'	ils/elles	eussent	prévu

Conditionnel

présent

je	prévoirais
tu	prévoirais
il/elle	prévoirait
nous	prévoirions
vous	prévoiriez
ils/elles	prévoiraient

passé

j'	aurais	prévu
tu	aurais	prévu
il/elle	aurait	prévu
nous	aurions	prévu
vous	auriez	prévu
ils/elles	auraient	prévu

Impératif

présent	passé	
prévois	aie	prévu
prévoyons	ayons	prévu
prévoyez	ayez	prévu

■ Une seule différence de conjugaison par rapport à *prévoir* : ce sont les terminaisons en *-u-* (et non en *-i-*) qui servent à former le passé simple et le subjonctif imparfait.

■ *-y-* + *-i-* aux deux premières personnes du pluriel de l'indicatif imparfait et du subjonctif présent.

Infinitif

présent	passé
pourvoir	avoir pourvu

Participe

présent	passé
pourvoyant	pourvu/ue, us/ues
	ayant pourvu

Indicatif

présent

je	pourvois
tu	pourvois
il/elle	pourvoit
nous	pourvoyons
vous	pourvoyez
ils/elles	pourvoient

passé composé

j'	ai	pourvu
tu	as	pourvu
il/elle	a	pourvu
nous	avons	pourvu
vous	avez	pourvu
ils/elles	ont	pourvu

imparfait

je	pourvoyais
tu	pourvoyais
il/elle	pourvoyait
nous	pourvoyions
vous	pourvoyiez
ils/elles	pourvoyaient

plus-que-parfait

j'	avais	pourvu
tu	avais	pourvu
il/elle	avait	pourvu
nous	avions	pourvu
vous	aviez	pourvu
ils/elles	avaient	pourvu

futur simple

je	pourvoirai
tu	pourvoiras
il/elle	pourvoira
nous	pourvoirons
vous	pourvoirez
ils/elles	pourvoiront

futur antérieur

j'	aurai	pourvu
tu	auras	pourvu
il/elle	aura	pourvu
nous	aurons	pourvu
vous	aurez	pourvu
ils/elles	auront	pourvu

passé simple

je	pourvus
tu	pourvus
il/elle	pourvut
nous	pourvûmes
vous	pourvûtes
ils/elles	pourvurent

passé antérieur

j'	eus	pourvu
tu	eus	pourvu
il/elle	eut	pourvu
nous	eûmes	pourvu
vous	eûtes	pourvu
ils/elles	eurent	pourvu

Subjonctif

présent

que je	pourvoie
que tu	pourvoies
qu' il/elle	pourvoie
que nous	pourvoyions
que vous	pourvoyiez
qu' ils/elles	pourvoient

imparfait

que je	pourvusse
que tu	pourvusses
qu' il/elle	pourvût
que nous	pourvussions
que vous	pourvussiez
qu' ils/elles	pourvussent

passé

que j'	aie	pourvu
que tu	aies	pourvu
qu' il/elle	ait	pourvu
que nous	ayons	pourvu
que vous	ayez	pourvu
qu' ils/elles	aient	pourvu

plus-que-parfait

que j'	eusse	pourvu
que tu	eusses	pourvu
qu' il/elle	eût	pourvu
que nous	eussions	pourvu
que vous	eussiez	pourvu
qu' ils/elles	eussent	pourvu

Conditionnel

présent

je	pourvoirais
tu	pourvoirais
il/elle	pourvoirait
nous	pourvoirions
vous	pourvoiriez
ils/elles	pourvoiraient

passé

j'	aurais	pourvu
tu	aurais	pourvu
il/elle	aurait	pourvu
nous	aurions	pourvu
vous	auriez	pourvu
ils/elles	auraient	pourvu

Impératif

présent	passé	
pourvois	aie	pourvu
pourvoyons	ayons	pourvu
pourvoyez	ayez	pourvu

■ Alternance des bases *émouv-* et *émeu-* pour les formes du présent à l'indicatif, au subjonctif et à l'impératif.

■ Passé simple et subjonctif imparfait construits avec les terminaisons en -*u*-.

■ *Promouvoir* suit exactement ce modèle. *(Se) mouvoir* prend un accent circonflexe au participe passé masculin singulier : *mû*.

Infinitif

présent	passé
émouvoir	avoir ému

Participe

présent	passé
émouvant	ému/ue, us/ues
	ayant ému

Indicatif

présent

j'	émeus
tu	émeus
il/elle	émeut
nous	émouvons
vous	émouvez
ils/elles	émeuvent

passé composé

j'	ai	ému
tu	as	ému
il/elle	a	ému
nous	avons	ému
vous	avez	ému
ils/elles	ont	ému

imparfait

j'	émouvais
tu	émouvais
il/elle	émouvait
nous	émouvions
vous	émouviez
ils/elles	émouvaient

plus-que-parfait

j'	avais	ému
tu	avais	ému
il/elle	avait	ému
nous	avions	ému
vous	aviez	ému
ils/elles	avaient	ému

futur simple

j'	émouvrai
tu	émouvras
il/elle	émouvra
nous	émouvrons
vous	émouvrez
ils/elles	émouvront

futur antérieur

j'	aurai	ému
tu	auras	ému
il/elle	aura	ému
nous	aurons	ému
vous	aurez	ému
ils/elles	auront	ému

passé simple

j'	émus
tu	émus
il/elle	émut
nous	émûmes
vous	émûtes
ils/elles	émurent

passé antérieur

j'	eus	ému
tu	eus	ému
il/elle	eut	ému
nous	eûmes	ému
vous	eûtes	ému
ils/elles	eurent	ému

Subjonctif

présent

que	j'	émeuve
que	tu	émeuves
qu'	il/elle	émeuve
que	nous	émouvions
que	vous	émouviez
qu'	ils/elles	émeuvent

imparfait

que	j'	émusse
que	tu	émusses
qu'	il/elle	émût
que	nous	émussions
que	vous	émussiez
qu'	ils/elles	émussent

passé

que	j'	aie	ému
que	tu	aies	ému
qu'	il/elle	ait	ému
que	nous	ayons	ému
que	vous	ayez	ému
qu'	ils/elles	aient	ému

plus-que-parfait

que	j'	eusse	ému
que	tu	eusses	ému
qu'	il/elle	eût	ému
que	nous	eussions	ému
que	vous	eussiez	ému
qu'	ils/elles	eussent	ému

Conditionnel

présent

j'	émouvrais
tu	émouvrais
il/elle	émouvrait
nous	émouvrions
vous	émouvriez
ils/elles	émouvraient

passé

j'	aurais	ému
tu	aurais	ému
il/elle	aurait	ému
nous	aurions	ému
vous	auriez	ému
ils/elles	auraient	ému

Impératif

présent

émeus
émouvons
émouvez

passé

aie	ému
ayons	ému
ayez	ému

■ Terminaison -x (et non -s) aux deux premières personnes de l'indicatif présent et à la 2e pers. du singulier de l'impératif présent.

■ La base *vaud-* sert à former le futur simple et le conditionnel présent.

■ La base *vaill-* se trouve seulement au subjonctif présent.

■ *Équivaloir* et *revaloir* (défectif) suivent ce modèle, mais le participe passé d'*équivaloir* est invariable.

Infinitif

présent	passé
valoir	avoir valu

Participe

présent	passé
valant	valu/ue, us/ues
	ayant valu

Indicatif

présent		passé composé		
je	vaux	j'	ai	valu
tu	vaux	tu	as	valu
il/elle	vaut	il/elle	a	valu
nous	valons	nous	avons	valu
vous	valez	vous	avez	valu
ils/elles	valent	ils/elles	ont	valu

imparfait		plus-que-parfait		
je	valais	j'	avais	valu
tu	valais	tu	avais	valu
il/elle	valait	il/elle	avait	valu
nous	valions	nous	avions	valu
vous	valiez	vous	aviez	valu
ils/elles	valaient	ils/elles	avaient	valu

futur simple		futur antérieur		
je	vaudrai	j'	aurai	valu
tu	vaudras	tu	auras	valu
il/elle	vaudra	il/elle	aura	valu
nous	vaudrons	nous	aurons	valu
vous	vaudrez	vous	aurez	valu
ils/elles	vaudront	ils/elles	auront	valu

passé simple		passé antérieur		
je	valus	j'	eus	valu
tu	valus	tu	eus	valu
il/elle	valut	il/elle	eut	valu
nous	valûmes	nous	eûmes	valu
vous	valûtes	vous	eûtes	valu
ils/elles	valurent	ils/elles	eurent	valu

Subjonctif

présent		
que je	vaille	
que tu	vailles	
qu' il/elle	vaille	
que nous	valions	
que vous	valiez	
qu' ils/elles	vaillent	

imparfait		
que je	valusse	
que tu	valusses	
qu' il/elle	valût	
que nous	valussions	
que vous	valussiez	
qu' ils/elles	valussent	

passé		
que j'	aie	valu
que tu	aies	valu
qu' il/elle	ait	valu
que nous	ayons	valu
que vous	ayez	valu
qu' ils/elles	aient	valu

plus-que-parfait		
que j'	eusse	valu
que tu	eusses	valu
qu' il/elle	eût	valu
que nous	eussions	valu
que vous	eussiez	valu
qu' ils/elles	eussent	valu

Conditionnel

présent		passé		
je	vaudrais	j'	aurais	valu
tu	vaudrais	tu	aurais	valu
il/elle	vaudrait	il/elle	aurait	valu
nous	vaudrions	nous	aurions	valu
vous	vaudriez	vous	auriez	valu
ils/elles	vaudraient	ils/elles	auraient	valu

Impératif

présent	passé	
vaux	aie	valu
valons	ayons	valu
valez	ayez	valu

■ La seule différence par rapport à *valoir* est au subjonctif présent : toutes les formes sont construites sur la base *préval-*.

Infinitif

présent	passé
prévaloir	avoir prévalu

Participe

présent	passé
prévalant	prévalu
	ayant prévalu

Indicatif

présent

je	prévaux
tu	prévaux
il/elle	prévaut
nous	prévalons
vous	prévalez
ils/elles	prévalent

passé composé

j'	ai	prévalu
tu	as	prévalu
il/elle	a	prévalu
nous	avons	prévalu
vous	avez	prévalu
ils/elles	ont	prévalu

imparfait

je	prévalais
tu	prévalais
il/elle	prévalait
nous	prévalions
vous	prévaliez
ils/elles	prévalaient

plus-que-parfait

j'	avais	prévalu
tu	avais	prévalu
il/elle	avait	prévalu
nous	avions	prévalu
vous	aviez	prévalu
ils/elles	avaient	prévalu

futur simple

je	prévaudrai
tu	prévaudras
il/elle	prévaudra
nous	prévaudrons
vous	prévaudrez
ils/elles	prévaudront

futur antérieur

j'	aurai	prévalu
tu	auras	prévalu
il/elle	aura	prévalu
nous	aurons	prévalu
vous	aurez	prévalu
ils/elles	auront	prévalu

passé simple

je	prévalus
tu	prévalus
il/elle	prévalut
nous	prévalûmes
vous	prévalûtes
ils/elles	prévalurent

passé antérieur

j'	eus	prévalu
tu	eus	prévalu
il/elle	eut	prévalu
nous	eûmes	prévalu
vous	eûtes	prévalu
ils/elles	eurent	prévalu

Subjonctif

présent

que	je	prévale
que	tu	prévales
qu'	il/elle	prévale
que	nous	prévalions
que	vous	prévaliez
qu'	ils/elles	prévalent

imparfait

que	je	prévalusse
que	tu	prévalusses
qu'	il/elle	prévalût
que	nous	prévalussions
que	vous	prévalussiez
qu'	ils/elles	prévalussent

passé

que	j'	aie	prévalu
que	tu	aies	prévalu
qu'	il/elle	ait	prévalu
que	nous	ayons	prévalu
que	vous	ayez	prévalu
qu'	ils/elles	aient	prévalu

plus-que-parfait

que	j'	eusse	prévalu
que	tu	eusses	prévalu
qu'	il/elle	eût	prévalu
que	nous	eussions	prévalu
que	vous	eussiez	prévalu
qu'	ils/elles	eussent	prévalu

Conditionnel

présent

je	prévaudrais
tu	prévaudrais
il/elle	prévaudrait
nous	prévaudrions
vous	prévaudriez
ils/elles	prévaudraient

passé

j'	aurais	prévalu
tu	aurais	prévalu
il/elle	aurait	prévalu
nous	aurions	prévalu
vous	auriez	prévalu
ils/elles	auraient	prévalu

Impératif

présent	passé	
prévaux	aie	prévalu
prévalons	ayons	prévalu
prévalez	ayez	prévalu

- Deux conjugaisons pour ce verbe : celle-ci est la plus employée à la voix pronominale.
- Attention au -e- muet de l'infinitif présent : *s'asseoir*.
- -y- + -i- aux 1ʳᵉ et 2ᵉ personnes du pluriel de l'indicatif imparfait et du subjonctif présent.
- *Se rasseoir* suit ce modèle. *Asseoir* aussi, mais il forme ses temps composés avec *avoir*.
- L'orthographe rectifiée préconise d'écrire les infinitifs *s'assoir*, *assoir* et *rassoir* sans -e-.

Infinitif

présent	passé
s'asseoir	s'être assis

Participe

présent	passé
s'asseyant	assis/ise, is/ises
	s'étant assis/ise, is/ises

Indicatif

présent

je	m'	assieds
tu	t'	assieds
il/elle	s'	assied
nous	nous	asseyons
vous	vous	asseyez
ils/elles	s'	asseyent

passé composé

je	me	suis	assis(e)
tu	t'	es	assis(e)
il/elle	s'	est	assis(e)
nous	nous	sommes	assis(es)
vous	vous	êtes	assis(es)
ils/elles	se	sont	assis(es)

imparfait

je	m'	asseyais
tu	t'	asseyais
il/elle	s'	asseyait
nous	nous	asseyions
vous	vous	asseyiez
ils/elles	s'	asseyaient

plus-que-parfait

je	m'	étais	assis(e)
tu	t'	étais	assis(e)
il/elle	s'	était	assis(e)
nous	nous	étions	assis(es)
vous	vous	étiez	assis(es)
ils/elles	s'	étaient	assis(es)

futur simple

je	m'	assiérai
tu	t'	assiéras
il/elle	s'	assiéra
nous	nous	assiérons
vous	vous	assiérez
ils/elles	s'	assiéront

futur antérieur

je	me	serai	assis(e)
tu	te	seras	assis(e)
il/elle	se	sera	assis(e)
nous	nous	serons	assis(es)
vous	vous	serez	assis(es)
ils/elles	se	seront	assis(es)

passé simple

je	m'	assis
tu	t'	assis
il/elle	s'	assit
nous	nous	assîmes
vous	vous	assîtes
ils/elles	s'	assirent

passé antérieur

je	me	fus	assis(e)
tu	te	fus	assis(e)
il/elle	se	fut	assis(e)
nous	nous	fûmes	assis(es)
vous	vous	fûtes	assis(es)
ils/elles	se	furent	assis(es)

Subjonctif

présent

que je	m'	asseye
que tu	t'	asseyes
qu' il/elle	s'	asseye
que nous	nous	asseyions
que vous	vous	asseyiez
qu' ils/elles	s'	asseyent

imparfait

que je	m'	assisse
que tu	t'	assisses
qu' il/elle	s'	assît
que nous	nous	assissions
que vous	vous	assissiez
qu' ils/elles	s'	assissent

passé

que je	me	sois	assis(e)
que tu	te	sois	assis(e)
qu' il/elle	se	soit	assis(e)
que nous	nous	soyons	assis(es)
que vous	vous	soyez	assis(es)
qu' ils/elles	se	soient	assis(es)

plus-que-parfait

que je	me	fusse	assis(e)
que tu	te	fusses	assis(e)
qu' il/elle	se	fût	assis(e)
que nous	nous	fussions	assis(es)
que vous	vous	fussiez	assis(es)
qu' ils/elles	se	fussent	assis(es)

Conditionnel

présent

je	m'	assiérais
tu	t'	assiérais
il/elle	s'	assiérait
nous	nous	assiérions
vous	vous	assiériez
ils/elles	s'	assiéraient

passé

je	me	serais	assis(e)
tu	te	serais	assis(e)
il/elle	se	serait	assis(e)
nous	nous	serions	assis(es)
vous	vous	seriez	assis(es)
ils/elles	se	seraient	assis(es)

Impératif

présent	passé
assieds-toi	*inusité*
asseyons-nous	
asseyez-vous	

S'ASSEOIR (2) 58

- *-y- + -i-* aux 1re et 2e personnes du pluriel de l'indicatif imparfait et du subjonctif présent.
- *Rasseoir* suit ce modèle mais forme ses temps composés avec *avoir*.
- L'orthographe rectifiée préconise d'écrire les infinitifs *s'assoir, assoir* et *rassoir* sans *-e-*.

S'ASSEOIR (2)

Infinitif

présent	passé
s'asseoir	s'être assis/ise, is/ises

Participe

présent	passé
s'assoyant	assis/ise, is/ises
	s'étant assis/ise, is/ises

Indicatif

présent

je	m'	assois
tu	t'	assois
il/elle	s'	assoit
nous	nous	assoyons
vous	vous	assoyez
ils/elles	s'	assoient

passé composé

je	me	suis	assis(e)
tu	t'	es	assis(e)
il/elle	s'	est	assis(e)
nous	nous	sommes	assis(es)
vous	vous	êtes	assis(es)
ils/elles	se	sont	assis(es)

imparfait

je	m'	assoyais
tu	t'	assoyais
il/elle	s'	assoyait
nous	nous	assoyions
vous	vous	assoyiez
ils/elles	s'	assoyaient

plus-que-parfait

je	m'	étais	assis(e)
tu	t'	étais	assis(e)
il/elle	s'	était	assis(e)
nous	nous	étions	assis(es)
vous	vous	étiez	assis(es)
ils/elles	s'	étaient	assis(es)

futur simple

je	m'	assoirai
tu	t'	assoiras
il/elle	s'	assoira
nous	nous	assoirons
vous	vous	assoirez
ils/elles	s'	assoiront

futur antérieur

je	me	serai	assis(e)
tu	te	seras	assis(e)
il/elle	se	sera	assis(e)
nous	nous	serons	assis(es)
vous	vous	serez	assis(es)
ils/elles	se	seront	assis(es)

passé simple

je	m'	assis
tu	t'	assis
il/elle	s'	assit
nous	nous	assîmes
vous	vous	assîtes
ils/elles	s'	assirent

passé antérieur

je	me	fus	assis(e)
tu	te	fus	assis(e)
il/elle	se	fut	assis(e)
nous	nous	fûmes	assis(es)
vous	vous	fûtes	assis(es)
ils/elles	se	furent	assis(es)

Subjonctif

présent

que je	m'	assoie
que tu	t'	assoies
qu' il/elle	s'	assoie
que nous	nous	assoyions
que vous	vous	assoyiez
qu' ils/elles	s'	assoient

imparfait

que je	m'	assisse
que tu	t'	assisses
qu' il/elle	s'	assît
que nous	nous	assissions
que vous	vous	assissiez
qu' ils/elles	s'	assissent

passé

que je	me	sois	assis(e)
que tu	te	sois	assis(e)
qu' il/elle	se	soit	assis(e)
que nous	nous	soyons	assis(es)
que vous	vous	soyez	assis(es)
qu' ils/elles	se	soient	assis(es)

plus-que-parfait

que je	me	fusse	assis(e)
que tu	te	fusses	assis(e)
qu' il/elle	se	fût	assis(e)
que nous	nous	fussions	assis(es)
que vous	vous	fussiez	assis(es)
qu' ils/elles	se	fussent	assis(es)

Conditionnel

présent

je	m'	assoirais
tu	t'	assoirais
il/elle	s'	assoirait
nous	nous	assoirions
vous	vous	assoiriez
ils/elles	s'	assoiraient

passé

je	me	serais	assis(e)
tu	te	serais	assis(e)
il/elle	se	serait	assis(e)
nous	nous	serions	assis(es)
vous	vous	seriez	assis(es)
ils/elles	se	seraient	assis(es)

Impératif

présent	passé
assois-toi	*inusité*
assoyons-nous	
assoyez-vous	

■ Attention à l'orthographe de la base à l'infinitif et aux temps formés à partir de celui-ci (futur simple et conditionnel présent : *surseoi-*, avec *-e-* muet devant *-o-*). C'est la seule différence avec *s'asseoir (2)*, tableau 58.

■ *-y-* + *-i-* aux deux premières personnes du pluriel de l'indicatif imparfait et du subjonctif présent.

■ Participe passé invariable.

■ L'orthographe rectifiée préconise de supprimer le *-e-* dans l'infinitif (*sursoir*), la conjugaison du futur (*sursoirai*) et du conditionnel (*sursoirais*).

Infinitif

présent	passé
surseoir	avoir sursis

Participe

présent	passé
sursoyant	sursis
	ayant sursis

Indicatif

présent

je	sursois
tu	sursois
il/elle	sursoit
nous	sursoyons
vous	sursoyez
ils/elles	sursoient

passé composé

j'	ai	sursis
tu	as	sursis
il/elle	a	sursis
nous	avons	sursis
vous	avez	sursis
ils/elles	ont	sursis

imparfait

je	sursoyais
tu	sursoyais
il/elle	sursoyait
nous	sursoyions
vous	sursoyiez
ils/elles	sursoyaient

plus-que-parfait

j'	avais	sursis
tu	avais	sursis
il/elle	avait	sursis
nous	avions	sursis
vous	aviez	sursis
ils/elles	avaient	sursis

futur simple

je	surseoirai
tu	surseoiras
il/elle	surseoira
nous	surseoirons
vous	surseoirez
ils/elles	surseoiront

futur antérieur

j'	aurai	sursis
tu	auras	sursis
il/elle	aura	sursis
nous	aurons	sursis
vous	aurez	sursis
ils/elles	auront	sursis

passé simple

je	sursis
tu	sursis
il/elle	sursit
nous	sursîmes
vous	sursîtes
ils/elles	sursirent

passé antérieur

j'	eus	sursis
tu	eus	sursis
il/elle	eut	sursis
nous	eûmes	sursis
vous	eûtes	sursis
ils/elles	eurent	sursis

Subjonctif

présent

que	je	sursoie
que	tu	sursoies
qu'	il/elle	sursoie
que	nous	sursoyions
que	vous	sursoyiez
qu'	ils/elles	sursoient

imparfait

que	je	sursisse
que	tu	sursisses
qu'	il/elle	sursît
que	nous	sursissions
que	vous	sursissiez
qu'	ils/elles	sursissent

passé

que	j'	aie	sursis
que	tu	aies	sursis
qu'	il/elle	ait	sursis
que	nous	ayons	sursis
que	vous	ayez	sursis
qu'	ils/elles	aient	sursis

plus-que-parfait

que	j'	eusse	sursis
que	tu	eusses	sursis
qu'	il/elle	eût	sursis
que	nous	eussions	sursis
que	vous	eussiez	sursis
qu'	ils/elles	eussent	sursis

Conditionnel

présent

je	surseoirais
tu	surseoirais
il/elle	surseoirait
nous	surseoirions
vous	surseoiriez
ils/elles	surseoiraient

passé

j'	aurais	sursis
tu	aurais	sursis
il/elle	aurait	sursis
nous	aurions	sursis
vous	auriez	sursis
ils/elles	auraient	sursis

Impératif

présent		passé	
sursois		aie	sursis
sursoyons		ayons	sursis
sursoyez		ayez	sursis

3e GROUPE

SEOIR 60

■ Ce verbe (qui signifie « convenir ») est archaïque et défectif. La plupart de ses formes se retrouvent dans *s'asseoir (1)*, tableau 57.

■ En langage juridique, on emploie *séant* (= siégeant) et *sis, sise, sises* (participe passé passif signifiant « qui est [sont] situé/ée/[és/ées] »).

■ *Messeoir* (= ne pas convenir) suit ce modèle mais a un seul participe présent : *messéant*.

■ L'orthographe rectifiée préconise de supprimer le *-e-* dans l'infinitif *messoir*.

Infinitif

présent	passé
seoir	*inusité*

Participe

présent	passé
seyant	*inusité*
séant	

Indicatif

présent

il/elle	sied
ils/elles	siéent

imparfait

il/elle	seyait
ils/elles	seyaient

futur simple

il/elle	siéra
ils/elles	siéront

Conditionnel

présent

il/elle	siérait
ils/elles	siéraient

Subjonctif

présent

qu'	il/elle	siée
qu'	ils/qu'elles	siéent

3e GROUPE

PLEUVOIR 61

■ Verbe impersonnel et défectif.

■ Participe passé invariable.

■ Au sens figuré, ce verbe se conjugue à la 3e personne du pluriel : *les coups pleuvaient*.

■ Le dérivé *repleuvoir* suit ce modèle.

Infinitif

présent	passé
pleuvoir	avoir plu

Participe

présent	passé
pleuvant	plu, ayant plu

Indicatif

présent	**passé composé**
il pleut	il a plu
imparfait	**plus-que-parfait**
il pleuvait	il avait plu
futur simple	**futur antérieur**
il pleuvra	il aura plu
passé simple	**passé antérieur**
il plut	il eut plu

Subjonctif

présent
qu'il pleuve

imparfait
qu'il plût

passé
qu'il ait plu

plus-que-parfait
qu'il eût plu

Conditionnel

présent	passé
il pleuvrait	il aurait plu

Impératif

présent	passé
inusité	*inusité*

125

■ Verbe défectif (= tomber) qui forme ses temps composés avec *être* (parfois avec *avoir*).

■ Formes encore employées : celles qui comportent une seule syllabe et le conditionnel présent (*je choirais*).

■ Les temps construits sur la base *cher-* sont archaïques : *... et la bobinette cherra* (Charles Perrault, *le Petit Chaperon rouge*).

Infinitif

présent	passé
choir	être chu

Participe

présent	passé
inusité	chu/chue, chus/chues
	étant chu/ue, us/ues

Indicatif

présent

je	chois
tu	chois
il/elle	choit
ils/elles	choient

passé composé

je	suis	chu(e)
tu	es	chu(e)
il/elle	est	chu(e)
nous	sommes	chu(e)s
vous	êtes	chu(e)s
ils/elles	sont	chu(e)s

imparfait

inusité

plus-que-parfait

j'	étais	chu(e)
tu	étais	chu(e)
il/elle	était	chu(e)
nous	étions	chu(e)s
vous	étiez	chu(e)s
ils/elles	étaient	chu(e)s

futur simple

je	choirai/cherrai
tu	choiras/cherras
il/elle	choira/cherra
nous	choirons/cherrons
vous	choirez/cherrez
ils/elles	choiront/cherront

futur antérieur

je	serai	chu(e)
tu	seras	chu(e)
il/elle	sera	chu(e)
nous	serons	chu(e)s
vous	serez	chu(e)s
ils/elles	seront	chu(e)s

passé simple

je	chus
tu	chus
il/elle	chut
nous	chûmes
vous	chûtes
ils/elles	churent

passé antérieur

je	fus	chu(e)
tu	fus	chu(e)
il/elle	fut	chu(e)
nous	fûmes	chu(e)s
vous	fûtes	chu(e)s
ils/elles	furent	chu(e)s

Subjonctif

présent

inusité

imparfait

qu'	il/elle	chût

passé

que	je	sois	chu(e)
que	tu	sois	chu(e)
qu'	il/elle	soit	chu(e)
que	nous	soyons	chu(e)s
que	vous	soyez	chu(e)s
qu'	ils/elles	soient	chu(e)s

plus-que-parfait

que	je	fusse	chu(e)
que	tu	fusses	chu(e)
qu'	il/elle	fût	chu(e)
que	nous	fussions	chu(e)s
que	vous	fussiez	chu(e)s
qu'	ils/elles	fussent	chu(e)s

Conditionnel

présent

je	choirais/cherrais
tu	choirais/cherrais
il/elle	choirait/cherrait
nous	choirions/cherrions
vous	choiriez/cherriez
ils/elles	choiraient/cherraient

passé

je	serais	chu(e)
tu	serais	chu(e)
il/elle	serait	chu(e)
nous	serions	chu(e)s
vous	seriez	chu(e)s
ils/elles	seraient	chu(e)s

Impératif

présent	passé
inusité	*inusité*

■ Verbe défectif qui forme ses temps composés avec *être* ou *avoir*.

■ Les formes construites sur les bases *éche-* et *écher-* sont archaïques (langage juridique), sauf le participe présent, très employé dans l'expression : *le cas échéant* (= si le cas se présente).

Infinitif

présent	passé
échoir	être échu

Participe

présent	passé
échéant	échu/ue, us/ues
	étant échu/ue, us/ues

Indicatif

présent

| il/elle | échoit/échet |
| ils/elles | échoient/échéent |

passé composé

| il/elle | est | échu(e) |
| ils/elles | sont | échu(e)s |

imparfait

| il/elle | échoyait |
| ils/elles | échoyaient |

plus-que-parfait

| il/elle | était | échu(e) |
| ils/elles | étaient | échu(e)s |

futur simple

| il/elle | échoira/écherra |
| ils/elles | échoiront/écherront |

futur antérieur

| il/elle | sera | échu(e) |
| ils/elles | seront | échu(e)s |

passé simple

| il/elle | échut |
| ils/elles | échurent |

passé antérieur

| il/elle | fut | échu(e) |
| ils/elles | furent | échu(e)s |

Subjonctif

présent

| qu' | il/elle | échoie/échée |
| qu' | ils/elles | échoient/échéent |

imparfait

| qu' | il/elle | échût |
| qu' | ils/elles | échussent |

passé

| qu' | il/elle | soit | échu(e) |
| qu' | ils/elles | soient | échu(e)s |

plus-que-parfait

| qu' | il/elle | fût | échu(e) |
| qu' | ils/elles | fussent | échu(e)s |

Conditionnel

présent

| il/elle | échoirait/écherrait |
| ils/elles | échoiraient/écherraient |

passé

| il/elle | serait | échu(e) |
| ils/elles | seraient | échu(e)s |

Impératif

présent	passé
inusité	*inusité*

■ Verbe défectif qui peut former ses temps composés avec *avoir* ou *être*, selon le sens.

■ Il se conjugue avec *avoir* quand il exprime une action : *Il a déchu rapidement* (= il a décliné). Il se conjugue avec *être* quand il exprime un état : *Il est déchu de son rang* (= il est tombé à un rang inférieur).

■ Attention aux deux premières personnes du pluriel du subjonctif présent : -y- + -i-.

Infinitif

présent	passé
déchoir	avoir déchu

Participe

présent	passé
inusité	déchu/ue, us/ues
	ayant déchu

Indicatif

présent

je	déchois
tu	déchois
il/elle	déchoit
nous	déchoyons
vous	déchoyez
ils/elles	déchoient

passé composé

j'	ai	déchu
tu	as	déchu
il/elle	a	déchu
nous	avons	déchu
vous	avez	déchu
ils/elles	ont	déchu

imparfait

inusité

plus-que-parfait

j'	avais	déchu
tu	avais	déchu
il/elle	avait	déchu
nous	avions	déchu
vous	aviez	déchu
ils/elles	avaient	déchu

futur simple

je	déchoirai/décherrai
tu	déchoiras/décherras
il/elle	déchoira/décherra
nous	déchoirons/décherrons
vous	déchoirez/décherrez
ils/elles	déchoiront/décherront

futur antérieur

j'	aurai	déchu
tu	auras	déchu
il/elle	aura	déchu
nous	aurons	déchu
vous	aurez	déchu
ils/elles	auront	déchu

passé simple

je	déchus
tu	déchus
il/elle	déchut
nous	déchûmes
vous	déchûtes
ils/elles	déchurent

passé antérieur

j'	eus	déchu
tu	eus	déchu
il/elle	eut	déchu
nous	eûmes	déchu
vous	eûtes	déchu
ils/elles	eurent	déchu

Subjonctif

présent

que	je	déchoie
que	tu	déchoies
qu'	il/elle	déchoie
que	nous	déchoyions
que	vous	déchoyiez
qu'	ils/elles	déchoient

imparfait

que	je	déchusse
que	tu	déchusses
qu'	il/elle	déchût
que	nous	déchussions
que	vous	déchussiez
qu'	ils/elles	déchussent

passé

que	j'	aie	déchu
que	tu	aies	déchu
qu'	il/elle	ait	déchu
que	nous	ayons	déchu
que	vous	ayez	déchu
qu'	ils/elles	aient	déchu

plus-que-parfait

que	j'	eusse	déchu
que	tu	eusses	déchu
qu'	il/elle	eût	déchu
que	nous	eussions	déchu
que	vous	eussiez	déchu
qu'	ils/elles	eussent	déchu

Conditionnel

présent

je	déchoirais/décherrais
tu	déchoirais/décherrais
il/elle	déchoirait/décherrait
nous	déchoirions/décherrions
vous	déchoiriez/décherriez
ils/elles	déchoiraient/décherraient

passé

j'	aurais	déchu
tu	aurais	déchu
il/elle	aurait	déchu
nous	aurions	déchu
vous	auriez	déchu
ils/elles	auraient	déchu

Impératif

présent	passé
inusité	*inusité*

■ La 3e personne du singulier de l'indicatif présent reproduit
la base sans changement : *elle rend*.

■ Suivent ce modèle : les verbes en *-endre* sauf *prendre* (*défendre, fendre* ainsi que
descendre, pendre, tendre, vendre et leurs dérivés) ; les verbes en *-ondre, -erdre, -ordre*
(*fondre, pondre, répondre, tondre, perdre, mordre, tordre* et leurs dérivés).

Infinitif

présent	passé
rendre	avoir rendu

Participe

présent	passé
rendant	rendu/ue, us/ues
	ayant rendu

Indicatif

présent

je	rends
tu	rends
il/elle	rend
nous	rendons
vous	rendez
ils/elles	rendent

passé composé

j'	ai	rendu
tu	as	rendu
il/elle	a	rendu
nous	avons	rendu
vous	avez	rendu
ils/elles	ont	rendu

imparfait

je	rendais
tu	rendais
il/elle	rendait
nous	rendions
vous	rendiez
ils/elles	rendaient

plus-que-parfait

j'	avais	rendu
tu	avais	rendu
il/elle	avait	rendu
nous	avions	rendu
vous	aviez	rendu
ils/elles	avaient	rendu

futur simple

je	rendrai
tu	rendras
il/elle	rendra
nous	rendrons
vous	rendrez
ils/elles	rendront

futur antérieur

j'	aurai	rendu
tu	auras	rendu
il/elle	aura	rendu
nous	aurons	rendu
vous	aurez	rendu
ils/elles	auront	rendu

passé simple

je	rendis
tu	rendis
il/elle	rendit
nous	rendîmes
vous	rendîtes
ils/elles	rendirent

passé antérieur

j'	eus	rendu
tu	eus	rendu
il/elle	eut	rendu
nous	eûmes	rendu
vous	eûtes	rendu
ils/elles	eurent	rendu

Subjonctif

présent

que	je	rende
que	tu	rendes
qu'	il/elle	rende
que	nous	rendions
que	vous	rendiez
qu'	ils/elles	rendent

imparfait

que	je	rendisse
que	tu	rendisses
qu'	il/elle	rendît
que	nous	rendissions
que	vous	rendissiez
qu'	ils/elles	rendissent

passé

que	j'	aie	rendu
que	tu	aies	rendu
qu'	il/elle	ait	rendu
que	nous	ayons	rendu
que	vous	ayez	rendu
qu'	ils/elles	aient	rendu

plus-que-parfait

que	j'	eusse	rendu
que	tu	eusses	rendu
qu'	il/elle	eût	rendu
que	nous	eussions	rendu
que	vous	eussiez	rendu
qu'	ils/elles	eussent	rendu

Conditionnel

présent

je	rendrais
tu	rendrais
il/elle	rendrait
nous	rendrions
vous	rendriez
ils/elles	rendraient

passé

j'	aurais	rendu
tu	aurais	rendu
il/elle	aurait	rendu
nous	aurions	rendu
vous	auriez	rendu
ils/elles	auraient	rendu

Impératif

présent	passé	
rends	aie	rendu
rendons	ayons	rendu
rendez	ayez	rendu

65 RENDRE

■ La 3e personne du singulier de l'indicatif présent reproduit la base sans changement : *elle répand*.

■ Attention : s'il se conjugue comme la plupart des verbes en *-endre*, *répandre* est un verbe en *-andre*. Le *-a-* de la base est présent partout.

■ *Épandre* suit ce modèle.

Infinitif

présent	passé
répandre	avoir répandu

Participe

présent	passé
répandant	répandu/ue, us/ues
	ayant répandu

Indicatif

présent

je	répands
tu	répands
il/elle	répand
nous	répandons
vous	répandez
ils/elles	répandent

passé composé

j'	ai	répandu
tu	as	répandu
il/elle	a	répandu
nous	avons	répandu
vous	avez	répandu
ils/elles	ont	répandu

imparfait

je	répandais
tu	répandais
il/elle	répandait
nous	répandions
vous	répandiez
ils/elles	répandaient

plus-que-parfait

j'	avais	répandu
tu	avais	répandu
il/elle	avait	répandu
nous	avions	répandu
vous	aviez	répandu
ils/elles	avaient	répandu

futur simple

je	répandrai
tu	répandras
il/elle	répandra
nous	répandrons
vous	répandrez
ils/elles	répandront

futur antérieur

j'	aurai	répandu
tu	auras	répandu
il/elle	aura	répandu
nous	aurons	répandu
vous	aurez	répandu
ils/elles	auront	répandu

passé simple

je	répandis
tu	répandis
il/elle	répandit
nous	répandîmes
vous	répandîtes
ils/elles	répandirent

passé antérieur

j'	eus	répandu
tu	eus	répandu
il/elle	eut	répandu
nous	eûmes	répandu
vous	eûtes	répandu
ils/elles	eurent	répandu

Subjonctif

présent

que	je	répande
que	tu	répandes
qu'	il/elle	répande
que	nous	répandions
que	vous	répandiez
qu'	ils/elles	répandent

imparfait

que	je	répandisse
que	tu	répandisses
qu'	il/elle	répandît
que	nous	répandissions
que	vous	répandissiez
qu'	ils/elles	répandissent

passé

que	j'	aie	répandu
que	tu	aies	répandu
qu'	il/elle	ait	répandu
que	nous	ayons	répandu
que	vous	ayez	répandu
qu'	ils/elles	aient	répandu

plus-que-parfait

que	j'	eusse	répandu
que	tu	eusses	répandu
qu'	il/elle	eût	répandu
que	nous	eussions	répandu
que	vous	eussiez	répandu
qu'	ils/elles	eussent	répandu

Conditionnel

présent

je	répandrais
tu	répandrais
il/elle	répandrait
nous	répandrions
vous	répandriez
ils/elles	répandraient

passé

j'	aurais	répandu
tu	aurais	répandu
il/elle	aurait	répandu
nous	aurions	répandu
vous	auriez	répandu
ils/elles	auraient	répandu

Impératif

présent	passé	
répands	aie	répandu
répandons	ayons	répandu
répandez	ayez	répandu

■ La 3e personne du singulier de l'indicatif présent reproduit la base sans changement : *il prend*.

■ La base *prenn-* sert à former la 3e pers. du pluriel de l'indicatif présent et quatre personnes du subjonctif présent. Celles-ci prennent donc deux *-n-*.

■ Tous les dérivés de *prendre* suivent ce modèle : *apprendre, comprendre, surprendre...*

Infinitif

présent	passé
prendre	avoir pris

Participe

présent	passé
prenant	pris/prise, pris/prises
	ayant pris

Indicatif

présent

je	prends
tu	prends
il/elle	prend
nous	prenons
vous	prenez
ils/elles	prennent

passé composé

j'	ai	pris
tu	as	pris
il/elle	a	pris
nous	avons	pris
vous	avez	pris
ils/elles	ont	pris

imparfait

je	prenais
tu	prenais
il/elle	prenait
nous	prenions
vous	preniez
ils/elles	prenaient

plus-que-parfait

j'	avais	pris
tu	avais	pris
il/elle	avait	pris
nous	avions	pris
vous	aviez	pris
ils/elles	avaient	pris

futur simple

je	prendrai
tu	prendras
il/elle	prendra
nous	prendrons
vous	prendrez
ils/elles	prendront

futur antérieur

j'	aurai	pris
tu	auras	pris
il/elle	aura	pris
nous	aurons	pris
vous	aurez	pris
ils/elles	auront	pris

passé simple

je	pris
tu	pris
il/elle	prit
nous	prîmes
vous	prîtes
ils/elles	prirent

passé antérieur

j'	eus	pris
tu	eus	pris
il/elle	eut	pris
nous	eûmes	pris
vous	eûtes	pris
ils/elles	eurent	pris

Subjonctif

présent

que	je	prenne
que	tu	prennes
qu'	il/elle	prenne
que	nous	prenions
que	vous	preniez
qu'	ils/elles	prennent

imparfait

que	je	prisse
que	tu	prisses
qu'	il/elle	prît
que	nous	prissions
que	vous	prissiez
qu'	ils/elles	prissent

passé

que	j'	aie	pris
que	tu	aies	pris
qu'	il/elle	ait	pris
que	nous	ayons	pris
que	vous	ayez	pris
qu'	ils/elles	aient	pris

plus-que-parfait

que	j'	eusse	pris
que	tu	eusses	pris
qu'	il/elle	eût	pris
que	nous	eussions	pris
que	vous	eussiez	pris
qu'	ils/elles	eussent	pris

Conditionnel

présent

je	prendrais
tu	prendrais
il/elle	prendrait
nous	prendrions
vous	prendriez
ils/elles	prendraient

passé

j'	aurais	pris
tu	aurais	pris
il/elle	aurait	pris
nous	aurions	pris
vous	auriez	pris
ils/elles	auraient	pris

Impératif

présent	passé	
prends	aie	pris
prenons	ayons	pris
prenez	ayez	pris

■ Le -a- contenu dans les bases est présent partout, même s'il est prononcé différemment : [ɛ̃], [e] ou [ɛ].

■ La base courte *crain-* sert à construire les formes du singulier du présent de l'indicatif et de l'impératif, ainsi que le participe passé.

■ *Contraindre* et *plaindre* suivent ce modèle.

Infinitif

présent	passé
craindre	avoir craint

Participe

présent	passé
craignant	craint/te, ts/tes
	ayant craint

Indicatif

présent
je	crains
tu	crains
il/elle	craint
nous	craignons
vous	craignez
ils/elles	craignent

passé composé
j'	ai	craint
tu	as	craint
il/elle	a	craint
nous	avons	craint
vous	avez	craint
ils/elles	ont	craint

imparfait
je	craignais
tu	craignais
il/elle	craignait
nous	craignions
vous	craigniez
ils/elles	craignaient

plus-que-parfait
j'	avais	craint
tu	avais	craint
il/elle	avait	craint
nous	avions	craint
vous	aviez	craint
ils/elles	avaient	craint

futur simple
je	craindrai
tu	craindras
il/elle	craindra
nous	craindrons
vous	craindrez
ils/elles	craindront

futur antérieur
j'	aurai	craint
tu	auras	craint
il/elle	aura	craint
nous	aurons	craint
vous	aurez	craint
ils/elles	auront	craint

passé simple
je	craignis
tu	craignis
il/elle	craignit
nous	craignîmes
vous	craignîtes
ils/elles	craignirent

passé antérieur
j'	eus	craint
tu	eus	craint
il/elle	eut	craint
nous	eûmes	craint
vous	eûtes	craint
ils/elles	eurent	craint

Subjonctif

présent
que	je	craigne
que	tu	craignes
qu'	il/elle	craigne
que	nous	craignions
que	vous	craigniez
qu'	ils/elles	craignent

imparfait
que	je	craignisse
que	tu	craignisses
qu'	il/elle	craignît
que	nous	craignissions
que	vous	craignissiez
qu'	ils/elles	craignissent

passé
que	j'	aie	craint
que	tu	aies	craint
qu'	il/elle	ait	craint
que	nous	ayons	craint
que	vous	ayez	craint
qu'	ils/elles	aient	craint

plus-que-parfait
que	j'	eusse	craint
que	tu	eusses	craint
qu'	il/elle	eût	craint
que	nous	eussions	craint
que	vous	eussiez	craint
qu'	ils/elles	eussent	craint

Conditionnel

présent
je	craindrais
tu	craindrais
il/elle	craindrait
nous	craindrions
vous	craindriez
ils/elles	craindraient

passé
j'	aurais	craint
tu	aurais	craint
il/elle	aurait	craint
nous	aurions	craint
vous	auriez	craint
ils/elles	auraient	craint

Impératif

présent
crains
craignons
craignez

passé
aie	craint
ayons	craint
ayez	craint

PEINDRE 69

■ Le *-e-* contenu dans les bases est présent partout, même s'il est prononcé différemment : [ɛ̃], [e] ou [ɛ].

■ La base courte *pein-* sert à construire les formes du singulier du présent de l'indicatif et de l'impératif, ainsi que le participe passé.

■ Tous les verbes en *-eindre* suivent ce modèle : les dérivés de *peindre*, ainsi que, *atteindre, ceindre, éteindre, étreindre, feindre, geindre, teindre...*

Infinitif

présent	passé
peindre	avoir peint

Participe

présent	passé
peignant	peint/te, ts/tes
	ayant peint

Indicatif

présent		passé composé		
je	peins	j'	ai	peint
tu	peins	tu	as	peint
il/elle	peint	il/elle	a	peint
nous	peignons	nous	avons	peint
vous	peignez	vous	avez	peint
ils/elles	peignent	ils/elles	ont	peint

imparfait		plus-que-parfait		
je	peignais	j'	avais	peint
tu	peignais	tu	avais	peint
il/elle	peignait	il/elle	avait	peint
nous	peignions	nous	avions	peint
vous	peigniez	vous	aviez	peint
ils/elles	peignaient	ils/elles	avaient	peint

futur simple		futur antérieur		
je	peindrai	j'	aurai	peint
tu	peindras	tu	auras	peint
il/elle	peindra	il/elle	aura	peint
nous	peindrons	nous	aurons	peint
vous	peindrez	vous	aurez	peint
ils/elles	peindront	ils/elles	auront	peint

passé simple		passé antérieur		
je	peignis	j'	eus	peint
tu	peignis	tu	eus	peint
il/elle	peignit	il/elle	eut	peint
nous	peignîmes	nous	eûmes	peint
vous	peignîtes	vous	eûtes	peint
ils/elles	peignirent	ils/elles	eurent	peint

Subjonctif

présent		
que	je	peigne
que	tu	peignes
qu'	il/elle	peigne
que	nous	peignions
que	vous	peigniez
qu'	ils/elles	peignent

imparfait		
que	je	peignisse
que	tu	peignisses
qu'	il/elle	peignît
que	nous	peignissions
que	vous	peignissiez
qu'	ils/elles	peignissent

passé			
que	j'	aie	peint
que	tu	aies	peint
qu'	il/elle	ait	peint
que	nous	ayons	peint
que	vous	ayez	peint
qu'	ils/elles	aient	peint

plus-que-parfait			
que	j'	eusse	peint
que	tu	eusses	peint
qu'	il/elle	eût	peint
que	nous	eussions	peint
que	vous	eussiez	peint
qu'	ils/elles	eussent	peint

Conditionnel

présent		passé		
je	peindrais	j'	aurais	peint
tu	peindrais	tu	aurais	peint
il/elle	peindrait	il/elle	aurait	peint
nous	peindrions	nous	aurions	peint
vous	peindriez	vous	auriez	peint
ils/elles	peindraient	ils/elles	auraient	peint

Impératif

présent	passé	
peins	aie	peint
peignons	ayons	peint
peignez	ayez	peint

70 JOINDRE

3ᵉ GROUPE

■ La base courte *join-* sert à construire les formes du singulier du présent de l'indicatif et de l'impératif, ainsi que le participe passé.

■ La seule différence de conjugaison entre ce modèle et ceux des tableaux 68 et 69 est la voyelle *-o-* de la base.

■ Tous les verbes en *-oindre* suivent ce modèle : *oindre* (= frotter d'huile, verbe archaïque et d'emploi rare), *poindre* (verbe archaïque et défectif) et les dérivés de *joindre* (*adjoindre*, *enjoindre*, *rejoindre*...).

Infinitif

présent	passé
joindre	avoir joint

Participe

présent	passé
joignant	joint/te, ts/tes
	ayant joint

Indicatif

présent

je	joins
tu	joins
il/elle	joint
nous	joignons
vous	joignez
ils/elles	joignent

passé composé

j'	ai	joint
tu	as	joint
il/elle	a	joint
nous	avons	joint
vous	avez	joint
ils/elles	ont	joint

imparfait

je	joignais
tu	joignais
il/elle	joignait
nous	joignions
vous	joigniez
ils/elles	joignaient

plus-que-parfait

j'	avais	joint
tu	avais	joint
il/elle	avait	joint
nous	avions	joint
vous	aviez	joint
ils/elles	avaient	joint

futur simple

je	joindrai
tu	joindras
il/elle	joindra
nous	joindrons
vous	joindrez
ils/elles	joindront

futur antérieur

j'	aurai	joint
tu	auras	joint
il/elle	aura	joint
nous	aurons	joint
vous	aurez	joint
ils/elles	auront	joint

passé simple

je	joignis
tu	joignis
il/elle	joignit
nous	joignîmes
vous	joignîtes
ils/elles	joignirent

passé antérieur

j'	eus	joint
tu	eus	joint
il/elle	eut	joint
nous	eûmes	joint
vous	eûtes	joint
ils/elles	eurent	joint

Subjonctif

présent

que	je	joigne
que	tu	joignes
qu'	il/elle	joigne
que	nous	joignions
que	vous	joigniez
qu'	ils/elles	joignent

imparfait

que	je	joignisse
que	tu	joignisses
qu'	il/elle	joignît
que	nous	joignissions
que	vous	joignissiez
qu'	ils/elles	joignissent

passé

que	j'	aie	joint
que	tu	aies	joint
qu'	il/elle	ait	joint
que	nous	ayons	joint
que	vous	ayez	joint
qu'	ils/elles	aient	joint

plus-que-parfait

que	j'	eusse	joint
que	tu	eusses	joint
qu'	il/elle	eût	joint
que	nous	eussions	joint
que	vous	eussiez	joint
qu'	ils/elles	eussent	joint

Conditionnel

présent

je	joindrais
tu	joindrais
il/elle	joindrait
nous	joindrions
vous	joindriez
ils/elles	joindraient

passé

j'	aurais	joint
tu	aurais	joint
il/elle	aurait	joint
nous	aurions	joint
vous	auriez	joint
ils/elles	auraient	joint

Impératif

présent	passé	
joins	aie	joint
joignons	ayons	joint
joignez	ayez	joint

■ Le -*p* final de la base est présent partout, même quand il n'est pas prononcé, et le -*t* de la 3ᵉ pers. du singulier de l'indicatif présent est maintenu).

■ *Corrompre* et *interrompre* suivent ce modèle.

Infinitif

présent	passé
rompre	avoir rompu

Participe

présent	passé
rompant	rompu/ue, us/ues
	ayant rompu

Indicatif

présent

je	romps
tu	romps
il/elle	rompt
nous	rompons
vous	rompez
ils/elles	rompent

passé composé

j'	ai	rompu
tu	as	rompu
il/elle	a	rompu
nous	avons	rompu
vous	avez	rompu
ils/elles	ont	rompu

imparfait

je	rompais
tu	rompais
il/elle	rompait
nous	rompions
vous	rompiez
ils/elles	rompaient

plus-que-parfait

j'	avais	rompu
tu	avais	rompu
il/elle	avait	rompu
nous	avions	rompu
vous	aviez	rompu
ils/elles	avaient	rompu

futur simple

je	romprai
tu	rompras
il/elle	rompra
nous	romprons
vous	romprez
ils/elles	rompront

futur antérieur

j'	aurai	rompu
tu	auras	rompu
il/elle	aura	rompu
nous	aurons	rompu
vous	aurez	rompu
ils/elles	auront	rompu

passé simple

je	rompis
tu	rompis
il/elle	rompit
nous	rompîmes
vous	rompîtes
ils/elles	rompirent

passé antérieur

j'	eus	rompu
tu	eus	rompu
il/elle	eut	rompu
nous	eûmes	rompu
vous	eûtes	rompu
ils/elles	eurent	rompu

Subjonctif

présent

que	je	rompe
que	tu	rompes
qu'	il/elle	rompe
que	nous	rompions
que	vous	rompiez
qu'	ils/elles	rompent

imparfait

que	je	rompisse
que	tu	rompisses
qu'	il/elle	rompît
que	nous	rompissions
que	vous	rompissiez
qu'	ils/elles	rompissent

passé

que	j'	aie	rompu
que	tu	aies	rompu
qu'	il/elle	ait	rompu
que	nous	ayons	rompu
que	vous	ayez	rompu
qu'	ils/elles	aient	rompu

plus-que-parfait

que	j'	eusse	rompu
que	tu	eusses	rompu
qu'	il/elle	eût	rompu
que	nous	eussions	rompu
que	vous	eussiez	rompu
qu'	ils/elles	eussent	rompu

Conditionnel

présent

je	romprais
tu	romprais
il/elle	romprait
nous	romprions
vous	rompriez
ils/elles	rompraient

passé

j'	aurais	rompu
tu	aurais	rompu
il/elle	aurait	rompu
nous	aurions	rompu
vous	auriez	rompu
ils/elles	auraient	rompu

Impératif

présent

romps
rompons
rompez

passé

aie	rompu
ayons	rompu
ayez	rompu

■ La 3ᵉ personne du singulier de l'indicatif présent reproduit la base courte *vainc-* sans changement (comme *rendre*, tableau 65).

■ La base longue *vainqu-* est utilisée pour construire toutes les formes dont la terminaison commence par une voyelle, sauf le participe passé en *-u*.

■ *Convaincre* suit ce modèle.

Infinitif

présent	passé
vaincre	avoir vaincu

Participe

présent	passé
vainquant	vaincu/ue, us/ues
	ayant vaincu

Indicatif

présent

je	vaincs
tu	vaincs
il/elle	vainc
nous	vainquons
vous	vainquez
ils/elles	vainquent

passé composé

j'	ai	vaincu
tu	as	vaincu
il/elle	a	vaincu
nous	avons	vaincu
vous	avez	vaincu
ils/elles	ont	vaincu

imparfait

je	vainquais
tu	vainquais
il/elle	vainquait
nous	vainquions
vous	vainquiez
ils/elles	vainquaient

plus-que-parfait

j'	avais	vaincu
tu	avais	vaincu
il/elle	avait	vaincu
nous	avions	vaincu
vous	aviez	vaincu
ils/elles	avaient	vaincu

futur simple

je	vaincrai
tu	vaincras
il/elle	vaincra
nous	vaincrons
vous	vaincrez
ils/elles	vaincront

futur antérieur

j'	aurai	vaincu
tu	auras	vaincu
il/elle	aura	vaincu
nous	aurons	vaincu
vous	aurez	vaincu
ils/elles	auront	vaincu

passé simple

je	vainquis
tu	vainquis
il/elle	vainquit
nous	vainquîmes
vous	vainquîtes
ils/elles	vainquirent

passé antérieur

j'	eus	vaincu
tu	eus	vaincu
il/elle	eut	vaincu
nous	eûmes	vaincu
vous	eûtes	vaincu
ils/elles	eurent	vaincu

Subjonctif

présent

que	je	vainque
que	tu	vainques
qu'	il/elle	vainque
que	nous	vainquions
que	vous	vainquiez
qu'	ils/elles	vainquent

imparfait

que	je	vainquisse
que	tu	vainquisses
qu'	il/elle	vainquît
que	nous	vainquissions
que	vous	vainquissiez
qu'	ils/elles	vainquissent

passé

que	j'	aie	vaincu
que	tu	aies	vaincu
qu'	il/elle	ait	vaincu
que	nous	ayons	vaincu
que	vous	ayez	vaincu
qu'	ils/elles	aient	vaincu

plus-que-parfait

que	j'	eusse	vaincu
que	tu	eusses	vaincu
qu'	il/elle	eût	vaincu
que	nous	eussions	vaincu
que	vous	eussiez	vaincu
qu'	ils/elles	eussent	vaincu

Conditionnel

présent

je	vaincrais
tu	vaincrais
il/elle	vaincrait
nous	vaincrions
vous	vaincriez
ils/elles	vaincraient

passé

j'	aurais	vaincu
tu	aurais	vaincu
il/elle	aurait	vaincu
nous	aurions	vaincu
vous	auriez	vaincu
ils/elles	auraient	vaincu

Impératif

présent	passé	
vaincs	aie	vaincu
vainquons	ayons	vaincu
vainquez	ayez	vaincu

■ C'est la base courte *bat-* qui sert à construire les formes du singulier du présent de l'indicatif et de l'impératif. Toutes les autres formes prennent deux -*t*- (base longue).

■ Les dérivés de *battre* suivent ce modèle : *abattre, combattre, débattre, (s')ébattre, embattre, rabattre, rebattre*.

Infinitif

présent	passé
battre	avoir battu

Participe

présent	passé
battant	battu/ue, us/ues
	ayant battu

Indicatif

présent

je	bats
tu	bats
il/elle	bat
nous	battons
vous	battez
ils/elles	battent

passé composé

j'	ai	battu
tu	as	battu
il/elle	a	battu
nous	avons	battu
vous	avez	battu
ils/elles	ont	battu

imparfait

je	battais
tu	battais
il/elle	battait
nous	battions
vous	battiez
ils/elles	battaient

plus-que-parfait

j'	avais	battu
tu	avais	battu
il/elle	avait	battu
nous	avions	battu
vous	aviez	battu
ils/elles	avaient	battu

futur simple

je	battrai
tu	battras
il/elle	battra
nous	battrons
vous	battrez
ils/elles	battront

futur antérieur

j'	aurai	battu
tu	auras	battu
il/elle	aura	battu
nous	aurons	battu
vous	aurez	battu
ils/elles	auront	battu

passé simple

je	battis
tu	battis
il/elle	battit
nous	battîmes
vous	battîtes
ils/elles	battirent

passé antérieur

j'	eus	battu
tu	eus	battu
il/elle	eut	battu
nous	eûmes	battu
vous	eûtes	battu
ils/elles	eurent	battu

Subjonctif

présent

que	je	batte
que	tu	battes
qu'	il/elle	batte
que	nous	battions
que	vous	battiez
qu'	ils/elles	battent

imparfait

que	je	battisse
que	tu	battisses
qu'	il/elle	battît
que	nous	battissions
que	vous	battissiez
qu'	ils/elles	battissent

passé

que	j'	aie	battu
que	tu	aies	battu
qu'	il/elle	ait	battu
que	nous	ayons	battu
que	vous	ayez	battu
qu'	ils/elles	aient	battu

plus-que-parfait

que	j'	eusse	battu
que	tu	eusses	battu
qu'	il/elle	eût	battu
que	nous	eussions	battu
que	vous	eussiez	battu
qu'	ils/elles	eussent	battu

Conditionnel

présent

je	battrais
tu	battrais
il/elle	battrait
nous	battrions
vous	battriez
ils/elles	battraient

passé

j'	aurais	battu
tu	aurais	battu
il/elle	aurait	battu
nous	aurions	battu
vous	auriez	battu
ils/elles	auraient	battu

Impératif

présent	passé	
bats	aie	battu
battons	ayons	battu
battez	ayez	battu

■ Accent circonflexe sur le -i- qui est suivi d'un -t- (et sur le -u- du subjonctif imparfait à la 3e pers. du singulier). Les deux -n- des bases sont présents partout.

■ Suivent ce modèle : les dérivés de *connaître* (*méconnaître* et *reconnaître*) ; *paraître* et ses dérivés (*apparaître, comparaître, disparaître, réapparaître, recomparaître, reparaître, transparaître*) ; *repaître* et *se repaître* (tableau 100), *paître* (défectif).

■ L'orthographe rectifiée autorise la suppression de l'accent circonflexe chaque fois que celui-ci n'est pas discriminant : *il connait, il connaitra*.

Infinitif

présent	passé
connaître	avoir connu

Participe

présent	passé
connaissant	connu/ue, us/ues
	ayant connu

Indicatif

présent		passé composé		
je	connais	j'	ai	connu
tu	connais	tu	as	connu
il/elle	connaît	il/elle	a	connu
nous	connaissons	nous	avons	connu
vous	connaissez	vous	avez	connu
ils/elles	connaissent	ils/elles	ont	connu

imparfait		plus-que-parfait		
je	connaissais	j'	avais	connu
tu	connaissais	tu	avais	connu
il/elle	connaissait	il/elle	avait	connu
nous	connaissions	nous	avions	connu
vous	connaissiez	vous	aviez	connu
ils/elles	connaissaient	ils/elles	avaient	connu

futur simple		futur antérieur		
je	connaîtrai	j'	aurai	connu
tu	connaîtras	tu	auras	connu
il/elle	connaîtra	il/elle	aura	connu
nous	connaîtrons	nous	aurons	connu
vous	connaîtrez	vous	aurez	connu
ils/elles	connaîtront	ils/elles	auront	connu

passé simple		passé antérieur		
je	connus	j'	eus	connu
tu	connus	tu	eus	connu
il/elle	connut	il/elle	eut	connu
nous	connûmes	nous	eûmes	connu
vous	connûtes	vous	eûtes	connu
ils/elles	connurent	ils/elles	eurent	connu

Subjonctif

présent		
que	je	connaisse
que	tu	connaisses
qu'	il/elle	connaisse
que	nous	connaissions
que	vous	connaissiez
qu'	ils/elles	connaissent

imparfait		
que	je	connusse
que	tu	connusses
qu'	il/elle	connût
que	nous	connussions
que	vous	connussiez
qu'	ils/elles	connussent

passé			
que	j'	aie	connu
que	tu	aies	connu
qu'	il/elle	ait	connu
que	nous	ayons	connu
que	vous	ayez	connu
qu'	ils/elles	aient	connu

plus-que-parfait			
que	j'	eusse	connu
que	tu	eusses	connu
qu'	il/elle	eût	connu
que	nous	eussions	connu
que	vous	eussiez	connu
qu'	ils/elles	eussent	connu

Conditionnel

présent		passé		
je	connaîtrais	j'	aurais	connu
tu	connaîtrais	tu	aurais	connu
il/elle	connaîtrait	il/elle	aurait	connu
nous	connaîtrions	nous	aurions	connu
vous	connaîtriez	vous	auriez	connu
ils/elles	connaîtraient	ils/elles	auraient	connu

Impératif

présent	passé	
connais	aie	connu
connaissons	ayons	connu
connaissez	ayez	connu

■ Accent circonflexe sur le *-i-* qui est suivi d'un *-t-*.

■ Les différences avec *connaître* : une base, *naqu-*, qui sert à construire les formes du passé simple et du subjonctif imparfait à l'aide des terminaisons en *-i-* (et non en *-u-*) ; le participe passé irrégulier (*né*).

■ Temps composés formés avec *être*.

■ *Renaître* suit ce modèle mais n'a pas de participe passé, donc pas de temps composés.

■ L'orthographe rectifiée autorise la suppression de l'accent circonflexe chaque fois que celui-ci n'est pas discriminant : *il nait, il naitra*.

Infinitif

présent	passé
naître	être né/née, nés/nées

Participe

présent	passé
naissant	né/née, nés/nées
	étant né/née, nés/nées

Indicatif

présent

je	nais
tu	nais
il/elle	naît
nous	naissons
vous	naissez
ils/elles	naissent

passé composé

je	suis	né(e)
tu	es	né(e)
il/elle	est	né(e)
nous	sommes	né(e)s
vous	êtes	né(e)s
ils/elles	sont	né(e)s

imparfait

je	naissais
tu	naissais
il/elle	naissait
nous	naissions
vous	naissiez
ils/elles	naissaient

plus-que-parfait

j'	étais	né(e)
tu	étais	né(e)
il/elle	était	né(e)
nous	étions	né(e)s
vous	étiez	né(e)s
ils/elles	étaient	né(e)s

futur simple

je	naîtrai
tu	naîtras
il/elle	naîtra
nous	naîtrons
vous	naîtrez
ils/elles	naîtront

futur antérieur

je	serai	né(e)
tu	seras	né(e)
il/elle	sera	né(e)
nous	serons	né(e)s
vous	serez	né(e)s
ils/elles	seront	né(e)s

passé simple

je	naquis
tu	naquis
il/elle	naquit
nous	naquîmes
vous	naquîtes
ils/elles	naquirent

passé antérieur

je	fus	né(e)
tu	fus	né(e)
il/elle	fut	né(e)
nous	fûmes	né(e)s
vous	fûtes	né(e)s
ils/elles	furent	né(e)s

Subjonctif

présent

que je	naisse
que tu	naisses
qu' il/elle	naisse
que nous	naissions
que vous	naissiez
qu' ils/elles	naissent

imparfait

que je	naquisse
que tu	naquisses
qu' il/elle	naquît
que nous	naquissions
que vous	naquissiez
qu' ils/elles	naquissent

passé

que je	sois	né(e)
que tu	sois	né(e)
qu' il/elle	soit	né(e)
que nous	soyons	né(e)s
que vous	soyez	né(e)s
qu' ils/elles	soient	né(e)s

plus-que-parfait

que je	fusse	né(e)
que tu	fusses	né(e)
qu' il/elle	fût	né(e)
que nous	fussions	né(e)s
que vous	fussiez	né(e)s
qu' ils/elles	fussent	né(e)s

Conditionnel

présent

je	naîtrais
tu	naîtrais
il/elle	naîtrait
nous	naîtrions
vous	naîtriez
ils/elles	naîtraient

passé

je	serais	né(e)
tu	serais	né(e)
il/elle	serait	né(e)
nous	serions	né(e)s
vous	seriez	né(e)s
ils/elles	seraient	né(e)s

Impératif

présent	passé	
nais	sois	né(e)
naissons	soyons	né(e)s
naissez	soyez	né(e)s

■ Pas d'accent circonflexe sur -*i*- devant -*t*-, sauf au subjonctif imparfait quand le -*î*- appartient à la terminaison.

■ Les 2ᵉˢ personnes du pluriel du présent de l'indicatif et de l'impératif sont irrégulières (*vous dites*).

■ *Redire* est le seul dérivé de *dire* qui suit exactement ce modèle. *Contredire, dédire, interdire, médire, prédire* ont leurs 2ᵉˢ pers. du plur. du présent de l'indicatif et de l'impératif en -*isez* : *vous contredisez, vous interdisez.*

Infinitif

présent	passé
dire	avoir dit

Participe

présent	passé
disant	dit/dite, dits/dites
	ayant dit

Indicatif

présent

je	dis
tu	dis
il/elle	dit
nous	disons
vous	dites
ils/elles	disent

passé composé

j'	ai	dit
tu	as	dit
il/elle	a	dit
nous	avons	dit
vous	avez	dit
ils/elles	ont	dit

imparfait

je	disais
tu	disais
il/elle	disait
nous	disions
vous	disiez
ils/elles	disaient

plus-que-parfait

j'	avais	dit
tu	avais	dit
il/elle	avait	dit
nous	avions	dit
vous	aviez	dit
ils/elles	avaient	dit

futur simple

je	dirai
tu	diras
il/elle	dira
nous	dirons
vous	direz
ils/elles	diront

futur antérieur

j'	aurai	dit
tu	auras	dit
il/elle	aura	dit
nous	aurons	dit
vous	aurez	dit
ils/elles	auront	dit

passé simple

je	dis
tu	dis
il/elle	dit
nous	dîmes
vous	dîtes
ils/elles	dirent

passé antérieur

j'	eus	dit
tu	eus	dit
il/elle	eut	dit
nous	eûmes	dit
vous	eûtes	dit
ils/elles	eurent	dit

Subjonctif

présent

que	je	dise
que	tu	dises
qu'	il/elle	dise
que	nous	disions
que	vous	disiez
qu'	ils/elles	disent

imparfait

que	je	disse
que	tu	disses
qu'	il/elle	dît
que	nous	dissions
que	vous	dissiez
qu'	ils/elles	dissent

passé

que	j'	aie	dit
que	tu	aies	dit
qu'	il/elle	ait	dit
que	nous	ayons	dit
que	vous	ayez	dit
qu'	ils/elles	aient	dit

plus-que-parfait

que	j'	eusse	dit
que	tu	eusses	dit
qu'	il/elle	eût	dit
que	nous	eussions	dit
que	vous	eussiez	dit
qu'	ils/elles	eussent	dit

Conditionnel

présent

je	dirais
tu	dirais
il/elle	dirait
nous	dirions
vous	diriez
ils/elles	diraient

passé

j'	aurais	dit
tu	aurais	dit
il/elle	aurait	dit
nous	aurions	dit
vous	auriez	dit
ils/elles	auraient	dit

Impératif

présent

dis
disons
dites

passé

aie	dit
ayons	dit
ayez	dit

■ Seules les terminaisons de l'infinitif (*-re*) et du participe passé (*-it*) appartiennent vraiment au 3ᵉ groupe. Toutes les autres sont celles du 2ᵉ groupe (*finir*, tableau 34).

■ *Maudire* est le seul dérivé de *dire* qui se conjugue ainsi.

Infinitif

présent	passé
maudire	avoir maudit

Participe

présent	passé
maudissant	maudit/te, ts/tes
	ayant maudit

Indicatif

présent

je	maudis
tu	maudis
il/elle	maudit
nous	maudissons
vous	maudissez
ils/elles	maudissent

passé composé

j'	ai	maudit
tu	as	maudit
il/elle	a	maudit
nous	avons	maudit
vous	avez	maudit
ils/elles	ont	maudit

imparfait

je	maudissais
tu	maudissais
il/elle	maudissait
nous	maudissions
vous	maudissiez
ils/elles	maudissaient

plus-que-parfait

j'	avais	maudit
tu	avais	maudit
il/elle	avait	maudit
nous	avions	maudit
vous	aviez	maudit
ils/elles	avaient	maudit

futur simple

je	maudirai
tu	maudiras
il/elle	maudira
nous	maudirons
vous	maudirez
ils/elles	maudiront

futur antérieur

j'	aurai	maudit
tu	auras	maudit
il/elle	aura	maudit
nous	aurons	maudit
vous	aurez	maudit
ils/elles	auront	maudit

passé simple

je	maudis
tu	maudis
il/elle	maudit
nous	maudîmes
vous	maudîtes
ils/elles	maudirent

passé antérieur

j'	eus	maudit
tu	eus	maudit
il/elle	eut	maudit
nous	eûmes	maudit
vous	eûtes	maudit
ils/elles	eurent	maudit

Subjonctif

présent

que	je	maudisse
que	tu	maudisses
qu'	il/elle	maudisse
que	nous	maudissions
que	vous	maudissiez
qu'	ils/elles	maudissent

imparfait

que	je	maudisse
que	tu	maudisses
qu'	il/elle	maudît
que	nous	maudissions
que	vous	maudissiez
qu'	ils/elles	maudissent

passé

que	j'	aie	maudit
que	tu	aies	maudit
qu'	il/elle	ait	maudit
que	nous	ayons	maudit
que	vous	ayez	maudit
qu'	ils/elles	aient	maudit

plus-que-parfait

que	j'	eusse	maudit
que	tu	eusses	maudit
qu'	il/elle	eût	maudit
que	nous	eussions	maudit
que	vous	eussiez	maudit
qu'	ils/elles	eussent	maudit

Conditionnel

présent

je	maudirais
tu	maudirais
il/elle	maudirait
nous	maudirions
vous	maudiriez
ils/elles	maudiraient

passé

j'	aurais	maudit
tu	aurais	maudit
il/elle	aurait	maudit
nous	aurions	maudit
vous	auriez	maudit
ils/elles	auraient	maudit

Impératif

présent	passé	
maudis	aie	maudit
maudissons	ayons	maudit
maudissez	ayez	maudit

■ Participe passé en -it (comme dire, tableau 76).

■ C'est la base longue écriv- qui sert à construire le participe présent, les pluriels du présent de l'indicatif et de l'impératif, les indicatifs imparfait et passé simple, et le subjonctif présent et imparfait.

■ Tous les dérivés d'écrire suivent ce modèle : décrire, récrire, et aussi circonscrire, (ré)inscrire, prescrire, proscrire, souscrire, (re)transcrire.

Infinitif

présent	passé
écrire	avoir écrit

Participe

présent	passé
écrivant	écrit/te, ts/tes
	ayant écrit

Indicatif

présent

j'	écris
tu	écris
il/elle	écrit
nous	écrivons
vous	écrivez
ils/elles	écrivent

passé composé

j'	ai	écrit
tu	as	écrit
il/elle	a	écrit
nous	avons	écrit
vous	avez	écrit
ils/elles	ont	écrit

imparfait

j'	écrivais
tu	écrivais
il/elle	écrivait
nous	écrivions
vous	écriviez
ils/elles	écrivaient

plus-que-parfait

j'	avais	écrit
tu	avais	écrit
il/elle	avait	écrit
nous	avions	écrit
vous	aviez	écrit
ils/elles	avaient	écrit

futur simple

j'	écrirai
tu	écriras
il/elle	écrira
nous	écrirons
vous	écrirez
ils/elles	écriront

futur antérieur

j'	aurai	écrit
tu	auras	écrit
il/elle	aura	écrit
nous	aurons	écrit
vous	aurez	écrit
ils/elles	auront	écrit

passé simple

j'	écrivis
tu	écrivis
il/elle	écrivit
nous	écrivîmes
vous	écrivîtes
ils/elles	écrivirent

passé antérieur

j'	eus	écrit
tu	eus	écrit
il/elle	eut	écrit
nous	eûmes	écrit
vous	eûtes	écrit
ils/elles	eurent	écrit

Subjonctif

présent

que	j'	écrive
que	tu	écrives
qu'	il/elle	écrive
que	nous	écrivions
que	vous	écriviez
qu'	ils/elles	écrivent

imparfait

que	j'	écrivisse
que	tu	écrivisses
qu'	il/elle	écrivît
que	nous	écrivissions
que	vous	écrivissiez
qu'	ils/elles	écrivissent

passé

que	j'	aie	écrit
que	tu	aies	écrit
qu'	il/elle	ait	écrit
que	nous	ayons	écrit
que	vous	ayez	écrit
qu'	ils/elles	aient	écrit

plus-que-parfait

que	j'	eusse	écrit
que	tu	eusses	écrit
qu'	il/elle	eût	écrit
que	nous	eussions	écrit
que	vous	eussiez	écrit
qu'	ils/elles	eussent	écrit

Conditionnel

présent

j'	écrirais
tu	écrirais
il/elle	écrirait
nous	écririons
vous	écririez
ils/elles	écriraient

passé

j'	aurais	écrit
tu	aurais	écrit
il/elle	aurait	écrit
nous	aurions	écrit
vous	auriez	écrit
ils/elles	auraient	écrit

Impératif

présent	passé	
écris	aie	écrit
écrivons	ayons	écrit
écrivez	ayez	écrit

■ La base la plus courte, *l-*, sert à construire le participe passé, le passé simple et le subjonctif imparfait, tous en *-u-*.

■ *Relire, élire* et *réélire* suivent ce modèle.

Infinitif

présent	passé
lire	avoir lu

Participe

présent	passé
lisant	lu/lue, lus/lues
	ayant lu

Indicatif

présent

je	lis
tu	lis
il/elle	lit
nous	lisons
vous	lisez
ils/elles	lisent

passé composé

j'	ai	lu
tu	as	lu
il/elle	a	lu
nous	avons	lu
vous	avez	lu
ils/elles	ont	lu

imparfait

je	lisais
tu	lisais
il/elle	lisait
nous	lisions
vous	lisiez
ils/elles	lisaient

plus-que-parfait

j'	avais	lu
tu	avais	lu
il/elle	avait	lu
nous	avions	lu
vous	aviez	lu
ils/elles	avaient	lu

futur simple

je	lirai
tu	liras
il/elle	lira
nous	lirons
vous	lirez
ils/elles	liront

futur antérieur

j'	aurai	lu
tu	auras	lu
il/elle	aura	lu
nous	aurons	lu
vous	aurez	lu
ils/elles	auront	lu

passé simple

je	lus
tu	lus
il/elle	lut
nous	lûmes
vous	lûtes
ils/elles	lurent

passé antérieur

j'	eus	lu
tu	eus	lu
il/elle	eut	lu
nous	eûmes	lu
vous	eûtes	lu
ils/elles	eurent	lu

Subjonctif

présent

que	je	lise
que	tu	lises
qu'	il/elle	lise
que	nous	lisions
que	vous	lisiez
qu'	ils/elles	lisent

imparfait

que	je	lusse
que	tu	lusses
qu'	il/elle	lût
que	nous	lussions
que	vous	lussiez
qu'	ils/elles	lussent

passé

que	j'	aie	lu
que	tu	aies	lu
qu'	il/elle	ait	lu
que	nous	ayons	lu
que	vous	ayez	lu
qu'	ils/elles	aient	lu

plus-que-parfait

que	j'	eusse	lu
que	tu	eusses	lu
qu'	il/elle	eût	lu
que	nous	eussions	lu
que	vous	eussiez	lu
qu'	ils/elles	eussent	lu

Conditionnel

présent

je	lirais
tu	lirais
il/elle	lirait
nous	lirions
vous	liriez
ils/elles	liraient

passé

j'	aurais	lu
tu	aurais	lu
il/elle	aurait	lu
nous	aurions	lu
vous	auriez	lu
ils/elles	auraient	lu

Impératif

présent

lis
lisons
lisez

passé

aie	lu
ayons	lu
ayez	lu

■ Deux -*i*- à la 1ʳᵉ et à la 2ᵉ personne du pluriel de l'indicatif imparfait et du subjonctif présent.

■ Participe passé invariable (-*i*), même dans l'emploi pronominal.

■ Devant une voyelle, le -*i*- de la base se prononce mouillé : *(nous) rions* comporte deux syllabes, comme *(nous) pillons*.

■ *Sourire* suit ce modèle.

Infinitif

présent	passé
rire	avoir ri

Participe

présent	passé
riant	ri
	ayant ri

Indicatif

présent

je	ris
tu	ris
il/elle	rit
nous	rions
vous	riez
ils/elles	rient

passé composé

j'	ai	ri
tu	as	ri
il/elle	a	ri
nous	avons	ri
vous	avez	ri
ils/elles	ont	ri

imparfait

je	riais
tu	riais
il/elle	riait
nous	riions
vous	riiez
ils/elles	riaient

plus-que-parfait

j'	avais	ri
tu	avais	ri
il/elle	avait	ri
nous	avions	ri
vous	aviez	ri
ils/elles	avaient	ri

futur simple

je	rirai
tu	riras
il/elle	rira
nous	rirons
vous	rirez
ils/elles	riront

futur antérieur

j'	aurai	ri
tu	auras	ri
il/elle	aura	ri
nous	aurons	ri
vous	aurez	ri
ils/elles	auront	ri

passé simple

je	ris
tu	ris
il/elle	rit
nous	rîmes
vous	rîtes
ils/elles	rirent

passé antérieur

j'	eus	ri
tu	eus	ri
il/elle	eut	ri
nous	eûmes	ri
vous	eûtes	ri
ils/elles	eurent	ri

Subjonctif

présent

que	je	rie
que	tu	ries
qu'	il/elle	rie
que	nous	riions
que	vous	riiez
qu'	ils/elles	rient

imparfait

que	je	risse
que	tu	risses
qu'	il/elle	rît
que	nous	rissions
que	vous	rissiez
qu'	ils/elles	rissent

passé

que	j'	aie	ri
que	tu	aies	ri
qu'	il/elle	ait	ri
que	nous	ayons	ri
que	vous	ayez	ri
qu'	ils/elles	aient	ri

plus-que-parfait

que	j'	eusse	ri
que	tu	eusses	ri
qu'	il/elle	eût	ri
que	nous	eussions	ri
que	vous	eussiez	ri
qu'	ils/elles	eussent	ri

Conditionnel

présent

je	rirais
tu	rirais
il/elle	rirait
nous	ririons
vous	ririez
ils/elles	riraient

passé

j'	aurais	ri
tu	aurais	ri
il/elle	aurait	ri
nous	aurions	ri
vous	auriez	ri
ils/elles	auraient	ri

Impératif

présent

ris
rions
riez

passé

aie	ri
ayons	ri
ayez	ri

- Deux -f- partout.
- Participe passé toujours invariable (-i).
- *Circoncire, confire, déconfire* et *frire* (tableau 101) suivent ce modèle, sauf pour les participes passés : *circoncis/ise, confit/ite, déconfit/ite, frit/ite*, qui sont variables.

Infinitif

présent	passé
suffire	avoir suffi

Participe

présent	passé
suffisant	suffi
	ayant suffi

Indicatif

présent

je	suffis
tu	suffis
il/elle	suffit
nous	suffisons
vous	suffisez
ils/elles	suffisent

passé composé

j'	ai	suffi
tu	as	suffi
il/elle	a	suffi
nous	avons	suffi
vous	avez	suffi
ils/elles	ont	suffi

imparfait

je	suffisais
tu	suffisais
il/elle	suffisait
nous	suffisions
vous	suffisiez
ils/elles	suffisaient

plus-que-parfait

j'	avais	suffi
tu	avais	suffi
il/elle	avait	suffi
nous	avions	suffi
vous	aviez	suffi
ils/elles	avaient	suffi

futur simple

je	suffirai
tu	suffiras
il/elle	suffira
nous	suffirons
vous	suffirez
ils/elles	suffiront

futur antérieur

j'	aurai	suffi
tu	auras	suffi
il/elle	aura	suffi
nous	aurons	suffi
vous	aurez	suffi
ils/elles	auront	suffi

passé simple

je	suffis
tu	suffis
il/elle	suffit
nous	suffîmes
vous	suffîtes
ils/elles	suffirent

passé antérieur

j'	eus	suffi
tu	eus	suffi
il/elle	eut	suffi
nous	eûmes	suffi
vous	eûtes	suffi
ils/elles	eurent	suffi

Subjonctif

présent

que	je	suffise
que	tu	suffises
qu'	il/elle	suffise
que	nous	suffisions
que	vous	suffisiez
qu'	ils/elles	suffisent

imparfait

que	je	suffisse
que	tu	suffisses
qu'	il/elle	suffît
que	nous	suffissions
que	vous	suffissiez
qu'	ils/elles	suffissent

passé

que	j'	aie	suffi
que	tu	aies	suffi
qu'	il/elle	ait	suffi
que	nous	ayons	suffi
que	vous	ayez	suffi
qu'	ils/elles	aient	suffi

plus-que-parfait

que	j'	eusse	suffi
que	tu	eusses	suffi
qu'	il/elle	eût	suffi
que	nous	eussions	suffi
que	vous	eussiez	suffi
qu'	ils/elles	eussent	suffi

Conditionnel

présent

je	suffirais
tu	suffirais
il/elle	suffirait
nous	suffirions
vous	suffiriez
ils/elles	suffiraient

passé

j'	aurais	suffi
tu	aurais	suffi
il/elle	aurait	suffi
nous	aurions	suffi
vous	auriez	suffi
ils/elles	auraient	suffi

Impératif

présent	passé	
suffis	aie	suffi
suffisons	ayons	suffi
suffisez	ayez	suffi

■ Participe passé masculin singulier terminé par *-t* (contrairement à *nuire*).

■ Suivent ce modèle : tous les verbes en *-duire* (*déduire, introduire, produire, séduire, traduire…*) ; les verbes en *-(s)truire* (*construire, détruire, instruire, reconstruire*) ; *cuire* et *recuire*.

Infinitif

présent	passé
conduire	avoir conduit

Participe

présent	passé
conduisant	conduit/te, ts/tes
	ayant conduit

Indicatif

présent
je	conduis
tu	conduis
il/elle	conduit
nous	conduisons
vous	conduisez
ils/elles	conduisent

passé composé
j'	ai	conduit
tu	as	conduit
il/elle	a	conduit
nous	avons	conduit
vous	avez	conduit
ils/elles	ont	conduit

imparfait
je	conduisais
tu	conduisais
il/elle	conduisait
nous	conduisions
vous	conduisiez
ils/elles	conduisaient

plus-que-parfait
j'	avais	conduit
tu	avais	conduit
il/elle	avait	conduit
nous	avions	conduit
vous	aviez	conduit
ils/elles	avaient	conduit

futur simple
je	conduirai
tu	conduiras
il/elle	conduira
nous	conduirons
vous	conduirez
ils/elles	conduiront

futur antérieur
j'	aurai	conduit
tu	auras	conduit
il/elle	aura	conduit
nous	aurons	conduit
vous	aurez	conduit
ils/elles	auront	conduit

passé simple
je	conduisis
tu	conduisis
il/elle	conduisit
nous	conduisîmes
vous	conduisîtes
ils/elles	conduisirent

passé antérieur
j'	eus	conduit
tu	eus	conduit
il/elle	eut	conduit
nous	eûmes	conduit
vous	eûtes	conduit
ils/elles	eurent	conduit

Subjonctif

présent
que	je	conduise
que	tu	conduises
qu'	il/elle	conduise
que	nous	conduisions
que	vous	conduisiez
qu'	ils/elles	conduisent

imparfait
que	je	conduisisse
que	tu	conduisisses
qu'	il/elle	conduisît
que	nous	conduisissions
que	vous	conduisissiez
qu'	ils/elles	conduisissent

passé
que	j'	aie	conduit
que	tu	aies	conduit
qu'	il/elle	ait	conduit
que	nous	ayons	conduit
que	vous	ayez	conduit
qu'	ils/elles	aient	conduit

plus-que-parfait
que	j'	eusse	conduit
que	tu	eusses	conduit
qu'	il/elle	eût	conduit
que	nous	eussions	conduit
que	vous	eussiez	conduit
qu'	ils/elles	eussent	conduit

Conditionnel

présent
je	conduirais
tu	conduirais
il/elle	conduirait
nous	conduirions
vous	conduiriez
ils/elles	conduiraient

passé
j'	aurais	conduit
tu	aurais	conduit
il/elle	aurait	conduit
nous	aurions	conduit
vous	auriez	conduit
ils/elles	auraient	conduit

Impératif

présent
conduis
conduisons
conduisez

passé
aie	conduit
ayons	conduit
ayez	conduit

NUIRE 83

- Participe passé terminé par -i- et invariable.
- Par rapport à *conduire* (tableau 82), le participe passé constitue la seule différence de conjugaison.
- *Luire* et *reluire* suivent ce modèle, mais ils gardent quelquefois un passé simple ancien : *je luis, nous luîmes.*

Infinitif

présent	passé
nuire	avoir nui

Participe

présent	passé
nuisant	nui
	ayant nui

Indicatif

présent
je	nuis
tu	nuis
il/elle	nuit
nous	nuisons
vous	nuisez
ils/elles	nuisent

passé composé
j'	ai	nui
tu	as	nui
il/elle	a	nui
nous	avons	nui
vous	avez	nui
ils/elles	ont	nui

imparfait
je	nuisais
tu	nuisais
il/elle	nuisait
nous	nuisions
vous	nuisiez
ils/elles	nuisaient

plus-que-parfait
j'	avais	nui
tu	avais	nui
il/elle	avait	nui
nous	avions	nui
vous	aviez	nui
ils/elles	avaient	nui

futur simple
je	nuirai
tu	nuiras
il/elle	nuira
nous	nuirons
vous	nuirez
ils/elles	nuiront

futur antérieur
j'	aurai	nui
tu	auras	nui
il/elle	aura	nui
nous	aurons	nui
vous	aurez	nui
ils/elles	auront	nui

passé simple
je	nuisis
tu	nuisis
il/elle	nuisit
nous	nuisîmes
vous	nuisîtes
ils/elles	nuisirent

passé antérieur
j'	eus	nui
tu	eus	nui
il/elle	eut	nui
nous	eûmes	nui
vous	eûtes	nui
ils/elles	eurent	nui

Subjonctif

présent
que	je	nuise
que	tu	nuises
qu'	il/elle	nuise
que	nous	nuisions
que	vous	nuisiez
qu'	ils/elles	nuisent

imparfait
que	je	nuisisse
que	tu	nuisisses
qu'	il/elle	nuisît
que	nous	nuisissions
que	vous	nuisissiez
qu'	ils/elles	nuisissent

passé
que	j'	aie	nui
que	tu	aies	nui
qu'	il/elle	ait	nui
que	nous	ayons	nui
que	vous	ayez	nui
qu'	ils/elles	aient	nui

plus-que-parfait
que	j'	eusse	nui
que	tu	eusses	nui
qu'	il/elle	eût	nui
que	nous	eussions	nui
que	vous	eussiez	nui
qu'	ils/elles	eussent	nui

Conditionnel

présent
je	nuirais
tu	nuirais
il/elle	nuirait
nous	nuirions
vous	nuiriez
ils/elles	nuiraient

passé
j'	aurais	nui
tu	aurais	nui
il/elle	aurait	nui
nous	aurions	nui
vous	auriez	nui
ils/elles	auraient	nui

Impératif

présent
| nuis |
| nuisons |
| nuisez |

passé
aie	nui
ayons	nui
ayez	nui

83 NUIRE

147

- Participe passé masculin singulier terminé par -*i*.

- C'est la base *sui-* qui est utilisée devant les terminaisons -*s* et -*t*.

- *Poursuivre* et *s'ensuivre* sont conformes à ce modèle. Mais *s'ensuivre*, pronominal, forme ses temps composés avec *être* et n'est employé qu'aux 3ᵉˢ personnes et à l'infinitif.

Infinitif

présent	passé
suivre	avoir suivi

Participe

présent	passé
suivant	suivi/ie, is/ies
	ayant suivi

Indicatif

présent		passé composé		
je	suis	j'	ai	suivi
tu	suis	tu	as	suivi
il/elle	suit	il/elle	a	suivi
nous	suivons	nous	avons	suivi
vous	suivez	vous	avez	suivi
ils/elles	suivent	ils/elles	ont	suivi

imparfait		plus-que-parfait		
je	suivais	j'	avais	suivi
tu	suivais	tu	avais	suivi
il/elle	suivait	il/elle	avait	suivi
nous	suivions	nous	avions	suivi
vous	suiviez	vous	aviez	suivi
ils/elles	suivaient	ils/elles	avaient	suivi

futur simple		futur antérieur		
je	suivrai	j'	aurai	suivi
tu	suivras	tu	auras	suivi
il/elle	suivra	il/elle	aura	suivi
nous	suivrons	nous	aurons	suivi
vous	suivrez	vous	aurez	suivi
ils/elles	suivront	ils/elles	auront	suivi

passé simple		passé antérieur		
je	suivis	j'	eus	suivi
tu	suivis	tu	eus	suivi
il/elle	suivit	il/elle	eut	suivi
nous	suivîmes	nous	eûmes	suivi
vous	suivîtes	vous	eûtes	suivi
ils/elles	suivirent	ils/elles	eurent	suivi

Subjonctif

présent		
que	je	suive
que	tu	suives
qu'	il/elle	suive
que	nous	suivions
que	vous	suiviez
qu'	ils/elles	suivent

imparfait		
que	je	suivisse
que	tu	suivisses
qu'	il/elle	suivît
que	nous	suivissions
que	vous	suivissiez
qu'	ils/elles	suivissent

passé			
que	j'	aie	suivi
que	tu	aies	suivi
qu'	il/elle	ait	suivi
que	nous	ayons	suivi
que	vous	ayez	suivi
qu'	ils/elles	aient	suivi

plus-que-parfait			
que	j'	eusse	suivi
que	tu	eusses	suivi
qu'	il/elle	eût	suivi
que	nous	eussions	suivi
que	vous	eussiez	suivi
qu'	ils/elles	eussent	suivi

Conditionnel

présent		passé		
je	suivrais	j'	aurais	suivi
tu	suivrais	tu	aurais	suivi
il/elle	suivrait	il/elle	aurait	suivi
nous	suivrions	nous	aurions	suivi
vous	suivriez	vous	auriez	suivi
ils/elles	suivraient	ils/elles	auraient	suivi

Impératif

présent	passé	
suis	aie	suivi
suivons	ayons	suivi
suivez	ayez	suivi

■ La base *vi-* est utilisée devant les terminaisons *-s* et *-t* (voir tableau 84).

■ La base *véc-* sert à construire le part. passé, le passé simple et le subj. imparf., à l'aide des terminaisons en *-u-*.

■ Les formes composées sont construites avec *avoir* (alors que celles de *mourir* et de *naître* se construisent avec *être*, voir tableaux 42 et 75).

■ *Revivre* et *survivre* suivent ce modèle, mais le participe passé de *survivre* est invariable : *survécu*.

Infinitif

présent	passé
vivre	avoir vécu

Participe

présent	passé
vivant	vécu/ue, us/ues
	ayant vécu

Indicatif

présent

je	vis
tu	vis
il/elle	vit
nous	vivons
vous	vivez
ils/elles	vivent

passé composé

j'	ai	vécu
tu	as	vécu
il/elle	a	vécu
nous	avons	vécu
vous	avez	vécu
ils/elles	ont	vécu

imparfait

je	vivais
tu	vivais
il/elle	vivait
nous	vivions
vous	viviez
ils/elles	vivaient

plus-que-parfait

j'	avais	vécu
tu	avais	vécu
il/elle	avait	vécu
nous	avions	vécu
vous	aviez	vécu
ils/elles	avaient	vécu

futur simple

je	vivrai
tu	vivras
il/elle	vivra
nous	vivrons
vous	vivrez
ils/elles	vivront

futur antérieur

j'	aurai	vécu
tu	auras	vécu
il/elle	aura	vécu
nous	aurons	vécu
vous	aurez	vécu
ils/elles	auront	vécu

passé simple

je	vécus
tu	vécus
il/elle	vécut
nous	vécûmes
vous	vécûtes
ils/elles	vécurent

passé antérieur

j'	eus	vécu
tu	eus	vécu
il/elle	eut	vécu
nous	eûmes	vécu
vous	eûtes	vécu
ils/elles	eurent	vécu

Subjonctif

présent

que	je	vive
que	tu	vives
qu'	il/elle	vive
que	nous	vivions
que	vous	viviez
qu'	ils/elles	vivent

imparfait

que	je	vécusse
que	tu	vécusses
qu'	il/elle	vécût
que	nous	vécussions
que	vous	vécussiez
qu'	ils/elles	vécussent

passé

que	j'	aie	vécu
que	tu	aies	vécu
qu'	il/elle	ait	vécu
que	nous	ayons	vécu
que	vous	ayez	vécu
qu'	ils/elles	aient	vécu

plus-que-parfait

que	j'	eusse	vécu
que	tu	eusses	vécu
qu'	il/elle	eût	vécu
que	nous	eussions	vécu
que	vous	eussiez	vécu
qu'	ils/elles	eussent	vécu

Conditionnel

présent

je	vivrais
tu	vivrais
il/elle	vivrait
nous	vivrions
vous	vivriez
ils/elles	vivraient

passé

j'	aurais	vécu
tu	aurais	vécu
il/elle	aurait	vécu
nous	aurions	vécu
vous	auriez	vécu
ils/elles	auraient	vécu

Impératif

présent

| vis |
| vivons |
| vivez |

passé

aie	vécu
ayons	vécu
ayez	vécu

85 VIVRE

149

■ Devant une consonne ou un -e- muet (subjonctif présent), c'est la base *croi-* qui sert à construire les formes.

■ La base la plus courte (*cr-*) sert à former le participe passé (sans accent circonflexe), le passé simple et le subjonctif imparfait, tous avec des terminaisons en -*u*-.

■ Attention : -*y-* + -*i-* aux deux premières personnes du pluriel de l'indicatif imparfait et du subjonctif présent.

■ Le seul dérivé de *croire*, *accroire*, n'est employé qu'à l'infinitif.

Infinitif

présent	passé
croire	avoir cru

Participe

présent	passé
croyant	cru/crue, crus/crues
	ayant cru

Indicatif

présent		passé composé		
je	crois	j'	ai	cru
tu	crois	tu	as	cru
il/elle	croit	il/elle	a	cru
nous	croyons	nous	avons	cru
vous	croyez	vous	avez	cru
ils/elles	croient	ils/elles	ont	cru

imparfait		plus-que-parfait		
je	croyais	j'	avais	cru
tu	croyais	tu	avais	cru
il/elle	croyait	il/elle	avait	cru
nous	croyions	nous	avions	cru
vous	croyiez	vous	aviez	cru
ils/elles	croyaient	ils/elles	avaient	cru

futur simple		futur antérieur		
je	croirai	j'	aurai	cru
tu	croiras	tu	auras	cru
il/elle	croira	il/elle	aura	cru
nous	croirons	nous	aurons	cru
vous	croirez	vous	aurez	cru
ils/elles	croiront	ils/elles	auront	cru

passé simple		passé antérieur		
je	crus	j'	eus	cru
tu	crus	tu	eus	cru
il/elle	crut	il/elle	eut	cru
nous	crûmes	nous	eûmes	cru
vous	crûtes	vous	eûtes	cru
ils/elles	crurent	ils/elles	eurent	cru

Subjonctif

présent		
que	je	croie
que	tu	croies
qu'	il/elle	croie
que	nous	croyions
que	vous	croyiez
qu'	ils/elles	croient

imparfait		
que	je	crusse
que	tu	crusses
qu'	il/elle	crût
que	nous	crussions
que	vous	crussiez
qu'	ils/elles	crussent

passé			
que	j'	aie	cru
que	tu	aies	cru
qu'	il/elle	ait	cru
que	nous	ayons	cru
que	vous	ayez	cru
qu'	ils/elles	aient	cru

plus-que-parfait			
que	j'	eusse	cru
que	tu	eusses	cru
qu'	il/elle	eût	cru
que	nous	eussions	cru
que	vous	eussiez	cru
qu'	ils/elles	eussent	cru

Conditionnel

présent		passé		
je	croirais	j'	aurais	cru
tu	croirais	tu	aurais	cru
il/elle	croirait	il/elle	aurait	cru
nous	croirions	nous	aurions	cru
vous	croiriez	vous	auriez	cru
ils/elles	croiraient	ils/elles	auraient	cru

Impératif

présent	passé	
crois	aie	cru
croyons	ayons	cru
croyez	ayez	cru

■ La base la plus courte (*b-*) sert à construire le participe passé (sans accent circonflexe), le passé simple et le subjonctif imparfait, tous en *-u-*.

■ Au présent de l'indicatif, trois bases différentes sont utilisées : *boi-*, *buv-* et *boiv-*. Deux le sont au subjonctif et à l'impératif présents : *boiv-* et *buv-*.

■ *Reboire* suit ce modèle.

Infinitif

présent	**passé**
boire	avoir bu

Participe

présent	**passé**
buvant	bu/bue, bus/bues
	ayant bu

Indicatif

présent

je	bois
tu	bois
il/elle	boit
nous	buvons
vous	buvez
ils/elles	boivent

passé composé

j'	ai	bu
tu	as	bu
il/elle	a	bu
nous	avons	bu
vous	avez	bu
ils/elles	ont	bu

imparfait

je	buvais
tu	buvais
il/elle	buvait
nous	buvions
vous	buviez
ils/elles	buvaient

plus-que-parfait

j'	avais	bu
tu	avais	bu
il/elle	avait	bu
nous	avions	bu
vous	aviez	bu
ils/elles	avaient	bu

futur simple

je	boirai
tu	boiras
il/elle	boira
nous	boirons
vous	boirez
ils/elles	boiront

futur antérieur

j'	aurai	bu
tu	auras	bu
il/elle	aura	bu
nous	aurons	bu
vous	aurez	bu
ils/elles	auront	bu

passé simple

je	bus
tu	bus
il/elle	but
nous	bûmes
vous	bûtes
ils/elles	burent

passé antérieur

j'	eus	bu
tu	eus	bu
il/elle	eut	bu
nous	eûmes	bu
vous	eûtes	bu
ils/elles	eurent	bu

Subjonctif

présent

que	je	boive
que	tu	boives
qu'	il/elle	boive
que	nous	buvions
que	vous	buviez
qu'	ils/elles	boivent

imparfait

que	je	busse
que	tu	busses
qu'	il/elle	bût
que	nous	bussions
que	vous	bussiez
qu'	ils/elles	bussent

passé

que	j'	aie	bu
que	tu	aies	bu
qu'	il/elle	ait	bu
que	nous	ayons	bu
que	vous	ayez	bu
qu'	ils/elles	aient	bu

plus-que-parfait

que	j'	eusse	bu
que	tu	eusses	bu
qu'	il/elle	eût	bu
que	nous	eussions	bu
que	vous	eussiez	bu
qu'	ils/elles	eussent	bu

Conditionnel

présent

je	boirais
tu	boirais
il/elle	boirait
nous	boirions
vous	boiriez
ils/elles	boiraient

passé

j'	aurais	bu
tu	aurais	bu
il/elle	aurait	bu
nous	aurions	bu
vous	auriez	bu
ils/elles	auraient	bu

Impératif

présent	**passé**	
bois	aie	bu
buvons	ayons	bu
buvez	ayez	bu

151

■ C'est la base *distray-* qui sert à construire les formes dont la terminaison commence par une voyelle, sauf à la 3e pers. du plur. de l'ind. prés., aux trois pers. du sing. et à la 3e pers. du plur. du subj. prés.

■ *-y-* + *-i-* aux deux premières pers. du plur. de l'ind. imparf. et du subj. prés.

■ Les verbes en *-raire* suivent ce modèle (*abstraire, extraire, soustraire, traire*...), avec *avoir* pour les temps composés s'ils sont à la voix active. *Braire* se conjugue surtout aux 3es pers.

Infinitif

présent	passé
se distraire	s'être distrait/te, ts/tes

Participe

présent	passé
se distrayant	distrait/te, ts/tes
	s'étant distrait/te, ts/tes

Indicatif

présent

je	me	distrais
tu	te	distrais
il/elle	se	distrait
nous	nous	distrayons
vous	vous	distrayez
ils/elles	se	distraient

passé composé

je	me	suis	distrait(e)
tu	t'	es	distrait(e)
il/elle	s'	est	distrait(e)
nous	nous	sommes	distrait(e)s
vous	vous	êtes	distrait(e)s
ils/elles	se	sont	distrait(e)s

imparfait

je	me	distrayais
tu	te	distrayais
il/elle	se	distrayait
nous	nous	distrayions
vous	vous	distrayiez
ils/elles	se	distrayaient

plus-que-parfait

je	m'	étais	distrait(e)
tu	t'	étais	distrait(e)
il/elle	s'	était	distrait(e)
nous	nous	étions	distrait(e)s
vous	vous	étiez	distrait(e)s
ils/elles	s'	étaient	distrait(e)s

futur simple

je	me	distrairai
tu	te	distrairas
il/elle	se	distraira
nous	nous	distrairons
vous	vous	distrairez
ils/elles	se	distrairont

futur antérieur

je	me	serai	distrait(e)
tu	te	seras	distrait(e)
il/elle	se	sera	distrait(e)
nous	nous	serons	distrait(e)s
vous	vous	serez	distrait(e)s
ils/elles	se	seront	distrait(e)s

passé simple

inusité

passé antérieur

je	me	fus	distrait(e)
tu	te	fus	distrait(e)
il/elle	se	fut	distrait(e)
nous	nous	fûmes	distrait(e)s
vous	vous	fûtes	distrait(e)s
ils/elles	se	furent	distrait(e)s

Subjonctif

présent

que je	me	distraie
que tu	te	distraies
qu' il/elle	se	distraie
que nous	nous	distrayions
que vous	vous	distrayiez
qu' ils/elles	se	distraient

imparfait

inusité

passé

que je	me	sois	distrait(e)
que tu	te	sois	distrait(e)
qu' il/elle	se	soit	distrait(e)
que nous	nous	soyons	distrait(e)s
que vous	vous	soyez	distrait(e)s
qu' ils/elles	se	soient	distrait(e)s

plus-que-parfait

que je	me	fusse	distrait(e)
que tu	te	fusses	distrait(e)
qu' il/elle	se	fût	distrait(e)
que nous	nous	fussions	distrait(e)s
que vous	vous	fussiez	distrait(e)s
qu' ils/elles	se	fussent	distrait(e)s

Conditionnel

présent

je	me	distrairais
tu	te	distrairais
il/elle	se	distrairait
nous	nous	distrairions
vous	vous	distrairiez
ils/elles	se	distrairaient

passé

je	me	serais	distrait(e)
tu	te	serais	distrait(e)
il/elle	se	serait	distrait(e)
nous	nous	serions	distrait(e)s
vous	vous	seriez	distrait(e)s
ils/elles	se	seraient	distrait(e)s

Impératif

présent	passé
distrais-toi	*inusité*
distrayons-nous	
distrayez-vous	

PLAIRE 89

- Accent circonflexe à la 3e personne du singulier de l'indicatif présent (devant -*t*).

- Participe passé toujours invariable (même à la voix pronominale) et sans accent circonflexe.

- *Complaire* et *déplaire* suivent exactement ce modèle. *Taire* fait à la 3e pers. du sing. de l'ind. présent *il tait* (sans accent circonflexe) et au participe passé *tu/tue, tus/tues* (variable).

- L'orthographe rectifiée autorise la suppression de l'accent circonflexe chaque fois que celui-ci n'est pas discriminant : *il plait*.

Infinitif

présent	passé
plaire	avoir plu

Participe

présent	passé
plaisant	plu
	ayant plu

Indicatif

présent		passé composé		
je	plais	j'	ai	plu
tu	plais	tu	as	plu
il/elle	plaît	il/elle	a	plu
nous	plaisons	nous	avons	plu
vous	plaisez	vous	avez	plu
ils/elles	plaisent	ils/elles	ont	plu

imparfait		plus-que-parfait		
je	plaisais	j'	avais	plu
tu	plaisais	tu	avais	plu
il/elle	plaisait	il/elle	avait	plu
nous	plaisions	nous	avions	plu
vous	plaisiez	vous	aviez	plu
ils/elles	plaisaient	ils/elles	avaient	plu

futur simple		futur antérieur		
je	plairai	j'	aurai	plu
tu	plairas	tu	auras	plu
il/elle	plaira	il/elle	aura	plu
nous	plairons	nous	aurons	plu
vous	plairez	vous	aurez	plu
ils/elles	plairont	ils/elles	auront	plu

passé simple		passé antérieur		
je	plus	j'	eus	plu
tu	plus	tu	eus	plu
il/elle	plut	il/elle	eut	plu
nous	plûmes	nous	eûmes	plu
vous	plûtes	vous	eûtes	plu
ils/elles	plurent	ils/elles	eurent	plu

Subjonctif

présent			
que	je	plaise	
que	tu	plaises	
qu'	il/elle	plaise	
que	nous	plaisions	
que	vous	plaisiez	
qu'	ils/elles	plaisent	

imparfait			
que	je	plusse	
que	tu	plusses	
qu'	il/elle	plût	
que	nous	plussions	
que	vous	plussiez	
qu'	ils/elles	plussent	

passé			
que	j'	aie	plu
que	tu	aies	plu
qu'	il/elle	ait	plu
que	nous	ayons	plu
que	vous	ayez	plu
qu'	ils/elles	aient	plu

plus-que-parfait			
que	j'	eusse	plu
que	tu	eusses	plu
qu'	il/elle	eût	plu
que	nous	eussions	plu
que	vous	eussiez	plu
qu'	ils/elles	eussent	plu

Conditionnel

présent		passé		
je	plairais	j'	aurais	plu
tu	plairais	tu	aurais	plu
il/elle	plairait	il/elle	aurait	plu
nous	plairions	nous	aurions	plu
vous	plairiez	vous	auriez	plu
ils/elles	plairaient	ils/elles	auraient	plu

Impératif

présent	passé	
plais	aie	plu
plaisons	ayons	plu
plaisez	ayez	plu

■ L'accent circonflexe est présent dans les temps construits sur la base *croît-* (infinitif présent, futur simple, conditionnel présent). Il existe aussi à toutes les formes qui peuvent être confondues avec celles de *croire* (tableau 86).

■ L'orthographe rectifiée autorise la suppression de l'accent circonflexe chaque fois que celui-ci n'est pas discriminant : *croitre, je croitrai, je croitrais.*

Infinitif

présent	passé
croître	avoir crû

Participe

présent	passé
croissant	crû
	ayant crû

Indicatif

présent

je	croîs
tu	croîs
il/elle	croît
nous	croissons
vous	croissez
ils/elles	croissent

passé composé

j'	ai	crû
tu	as	crû
il/elle	a	crû
nous	avons	crû
vous	avez	crû
ils/elles	ont	crû

imparfait

je	croissais
tu	croissais
il/elle	croissait
nous	croissions
vous	croissiez
ils/elles	croissaient

plus-que-parfait

j'	avais	crû
tu	avais	crû
il/elle	avait	crû
nous	avions	crû
vous	aviez	crû
ils/elles	avaient	crû

futur simple

je	croîtrai
tu	croîtras
il/elle	croîtra
nous	croîtrons
vous	croîtrez
ils/elles	croîtront

futur antérieur

j'	aurai	crû
tu	auras	crû
il/elle	aura	crû
nous	aurons	crû
vous	aurez	crû
ils/elles	auront	crû

passé simple

je	crûs
tu	crûs
il/elle	crût
nous	crûmes
vous	crûtes
ils/elles	crûrent

passé antérieur

j'	eus	crû
tu	eus	crû
il/elle	eut	crû
nous	eûmes	crû
vous	eûtes	crû
ils/elles	eurent	crû

Subjonctif

présent

que	je	croisse
que	tu	croisses
qu'	il/elle	croisse
que	nous	croissions
que	vous	croissiez
qu'	ils/elles	croissent

imparfait

que	je	crûsse
que	tu	crûsses
qu'	il/elle	crût
que	nous	crûssions
que	vous	crûssiez
qu'	ils/elles	crûssent

passé

que	j'	aie	crû
que	tu	aies	crû
qu'	il/elle	ait	crû
que	nous	ayons	crû
que	vous	ayez	crû
qu'	ils/elles	aient	crû

plus-que-parfait

que	j'	eusse	crû
que	tu	eusses	crû
qu'	il/elle	eût	crû
que	nous	eussions	crû
que	vous	eussiez	crû
qu'	ils/elles	eussent	crû

Conditionnel

présent

je	croîtrais
tu	croîtrais
il/elle	croîtrait
nous	croîtrions
vous	croîtriez
ils/elles	croîtraient

passé

j'	aurais	crû
tu	aurais	crû
il/elle	aurait	crû
nous	aurions	crû
vous	auriez	crû
ils/elles	auraient	crû

Impératif

présent	passé	
croîs	aie	crû
croissons	ayons	crû
croissez	ayez	crû

ACCROÎTRE 91

■ L'accent circonflexe est présent dans les temps construits sur la base *accroît-* (infinitif présent, 3e pers. de l'indicatif présent, futur simple, conditionnel présent).

■ Comme il n'y a aucune confusion possible avec *croire*, il ne figure pas ailleurs, sauf s'il fait partie de la terminaison.

■ *Décroître* et *recroître* suivent ce modèle mais *recroître* a gardé l'accent circonflexe au participe passé masculin singulier : *recrû* (ainsi différencié de l'adjectif *recru* dans l'expression *recru de fatigue* = épuisé).

■ L'orthographe rectifiée autorise la suppression de l'accent circonflexe chaque fois que celui-ci n'est pas discriminant : *il accroit, il accroitra.*

Infinitif

présent
accroître

passé
avoir accru

Participe

présent
accroissant

passé
accru/ue, us/ues
ayant accru

Indicatif

présent

j'	accrois
tu	accrois
il/elle	**accroît**
nous	accroissons
vous	accroissez
ils/elles	accroissent

passé composé

j'	ai	accru
tu	as	accru
il/elle	a	accru
nous	avons	accru
vous	avez	accru
ils/elles	ont	accru

imparfait

j'	accroissais
tu	accroissais
il/elle	accroissait
nous	accroissions
vous	accroissiez
ils/elles	accroissaient

plus-que-parfait

j'	avais	accru
tu	avais	accru
il/elle	avait	accru
nous	avions	accru
vous	aviez	accru
ils/elles	avaient	accru

futur simple

j'	**accroîtrai**
tu	**accroîtras**
il/elle	**accroîtra**
nous	**accroîtrons**
vous	**accroîtrez**
ils/elles	**accroîtront**

futur antérieur

j'	aurai	accru
tu	auras	accru
il/elle	aura	accru
nous	aurons	accru
vous	aurez	accru
ils/elles	auront	accru

passé simple

j'	accrus
tu	accrus
il/elle	accrut
nous	accrûmes
vous	accrûtes
ils/elles	accrurent

passé antérieur

j'	eus	accru
tu	eus	accru
il/elle	eut	accru
nous	eûmes	accru
vous	eûtes	accru
ils/elles	eurent	accru

Subjonctif

présent

que	j'	accroisse
que	tu	accroisses
qu'	il/elle	accroisse
que	nous	accroissions
que	vous	accroissiez
qu'	ils/elles	accroissent

imparfait

que	j'	accrusse
que	tu	accrusses
qu'	il/elle	accrût
que	nous	accrussions
que	vous	accrussiez
qu'	ils/elles	accrussent

passé

que	j'	aie	accru
que	tu	aies	accru
qu'	il/elle	ait	accru
que	nous	ayons	accru
que	vous	ayez	accru
qu'	ils/elles	aient	accru

plus-que-parfait

que	j'	eusse	accru
que	tu	eusses	accru
qu'	il/elle	eût	accru
que	nous	eussions	accru
que	vous	eussiez	accru
qu'	ils/elles	eussent	accru

Conditionnel

présent

j'	**accroîtrais**
tu	**accroîtrais**
il/elle	**accroîtrait**
nous	**accroîtrions**
vous	**accroîtriez**
ils/elles	**accroîtraient**

passé

j'	aurais	accru
tu	aurais	accru
il/elle	aurait	accru
nous	aurions	accru
vous	auriez	accru
ils/elles	auraient	accru

Impératif

présent
accrois
accroissons
accroissez

passé

aie	accru
ayons	accru
ayez	accru

155

■ Attention : quelquefois, trois voyelles se suivent : *nous concluions*.
■ Participe passé masculin singulier en *-u*.
■ *Exclure* suit ce modèle.

Infinitif

présent	passé
conclure	avoir conclu

Participe

présent	passé
concluant	conclu/ue, us/ues
	ayant conclu

Indicatif

présent

je	conclus
tu	conclus
il/elle	conclut
nous	concluons
vous	concluez
ils/elles	concluent

passé composé

j'	ai	conclu
tu	as	conclu
il/elle	a	conclu
nous	avons	conclu
vous	avez	conclu
ils/elles	ont	conclu

imparfait

je	concluais
tu	concluais
il/elle	concluait
nous	concluions
vous	concluiez
ils/elles	concluaient

plus-que-parfait

j'	avais	conclu
tu	avais	conclu
il/elle	avait	conclu
nous	avions	conclu
vous	aviez	conclu
ils/elles	avaient	conclu

futur simple

je	conclurai
tu	concluras
il/elle	conclura
nous	conclurons
vous	conclurez
ils/elles	concluront

futur antérieur

j'	aurai	conclu
tu	auras	conclu
il/elle	aura	conclu
nous	aurons	conclu
vous	aurez	conclu
ils/elles	auront	conclu

passé simple

je	conclus
tu	conclus
il/elle	conclut
nous	conclûmes
vous	conclûtes
ils/elles	conclurent

passé antérieur

j'	eus	conclu
tu	eus	conclu
il/elle	eut	conclu
nous	eûmes	conclu
vous	eûtes	conclu
ils/elles	eurent	conclu

Subjonctif

présent

que	je	conclue
que	tu	conclues
qu'	il/elle	conclue
que	nous	concluions
que	vous	concluiez
qu'	ils/elles	concluent

imparfait

que	je	conclusse
que	tu	conclusses
qu'	il/elle	conclût
que	nous	conclussions
que	vous	conclussiez
qu'	ils/elles	conclussent

passé

que	j'	aie	conclu
que	tu	aies	conclu
qu'	il/elle	ait	conclu
que	nous	ayons	conclu
que	vous	ayez	conclu
qu'	ils/elles	aient	conclu

plus-que-parfait

que	j'	eusse	conclu
que	tu	eusses	conclu
qu'	il/elle	eût	conclu
que	nous	eussions	conclu
que	vous	eussiez	conclu
qu'	ils/elles	eussent	conclu

Conditionnel

présent

je	conclurais
tu	conclurais
il/elle	conclurait
nous	conclurions
vous	concluriez
ils/elles	concluraient

passé

j'	aurais	conclu
tu	aurais	conclu
il/elle	aurait	conclu
nous	aurions	conclu
vous	auriez	conclu
ils/elles	auraient	conclu

Impératif

présent	passé	
conclus	aie	conclu
concluons	ayons	conclu
concluez	ayez	conclu

INCLURE 93

■ Une seule différence avec *conclure* : le participe passé masculin singulier en *-us*.

■ *Occlure*, verbe d'emploi rare, suit ce modèle. (*Reclus* est un adjectif qui vient d'un verbe disparu : *elle vit recluse*.)

Infinitif

présent	passé
inclure	avoir inclus

Participe

présent	passé
incluant	inclus/ue, us/uses
	ayant inclus

Indicatif

présent

j'	inclus
tu	inclus
il/elle	inclut
nous	incluons
vous	incluez
ils/elles	incluent

passé composé

j'	ai	inclus
tu	as	inclus
il/elle	a	inclus
nous	avons	inclus
vous	avez	inclus
ils/elles	ont	inclus

imparfait

j'	incluais
tu	incluais
il/elle	incluait
nous	incluions
vous	incluiez
ils/elles	incluaient

plus-que-parfait

j'	avais	inclus
tu	avais	inclus
il/elle	avait	inclus
nous	avions	inclus
vous	aviez	inclus
ils/elles	avaient	inclus

futur simple

j'	inclurai
tu	incluras
il/elle	inclura
nous	inclurons
vous	inclurez
ils/elles	incluront

futur antérieur

j'	aurai	inclus
tu	auras	inclus
il/elle	aura	inclus
nous	aurons	inclus
vous	aurez	inclus
ils/elles	auront	inclus

passé simple

j'	inclus
tu	inclus
il/elle	inclut
nous	inclûmes
vous	inclûtes
ils/elles	inclurent

passé antérieur

j'	eus	inclus
tu	eus	inclus
il/elle	eut	inclus
nous	eûmes	inclus
vous	eûtes	inclus
ils/elles	eurent	inclus

Subjonctif

présent

que	j'	inclue
que	tu	inclues
qu'	il/elle	inclue
que	nous	incluions
que	vous	incluiez
qu'	ils/elles	incluent

imparfait

que	j'	inclusse
que	tu	inclusses
qu'	il/elle	inclût
que	nous	inclussions
que	vous	inclussiez
qu'	ils/elles	inclussent

passé

que	j'	aie	inclus
que	tu	aies	inclus
qu'	il/elle	ait	inclus
que	nous	ayons	inclus
que	vous	ayez	inclus
qu'	ils/elles	aient	inclus

plus-que-parfait

que	j'	eusse	inclus
que	tu	eusses	inclus
qu'	il/elle	eût	inclus
que	nous	eussions	inclus
que	vous	eussiez	inclus
qu'	ils/elles	eussent	inclus

Conditionnel

présent

j'	inclurais
tu	inclurais
il/elle	inclurait
nous	inclurions
vous	incluriez
ils/elles	incluraient

passé

j'	aurais	inclus
tu	aurais	inclus
il/elle	aurait	inclus
nous	aurions	inclus
vous	auriez	inclus
ils/elles	auraient	inclus

Impératif

présent	passé	
inclus	aie	inclus
incluons	ayons	inclus
incluez	ayez	inclus

■ C'est la base *résou-* qui sert à construire les formes du singulier au présent de l'indicatif et de l'impératif. Il n'y a donc pas de *-d-* devant la terminaison.

■ Il existe un second participe passé (*résous, résoute*) employé surtout en chimie pour indiquer un changement d'état : *un gaz résous en liquide*.

Infinitif

présent	passé
résoudre	avoir résolu

Participe

présent	passé
résolvant	résolu/ue, us/ues
	ayant résolu

Indicatif

présent

je	résous
tu	résous
il/elle	résout
nous	résolvons
vous	résolvez
ils/elles	résolvent

passé composé

j'	ai	résolu
tu	as	résolu
il/elle	a	résolu
nous	avons	résolu
vous	avez	résolu
ils/elles	ont	résolu

imparfait

je	résolvais
tu	résolvais
il/elle	résolvait
nous	résolvions
vous	résolviez
ils/elles	résolvaient

plus-que-parfait

j'	avais	résolu
tu	avais	résolu
il/elle	avait	résolu
nous	avions	résolu
vous	aviez	résolu
ils/elles	avaient	résolu

futur simple

je	résoudrai
tu	résoudras
il/elle	résoudra
nous	résoudrons
vous	résoudrez
ils/elles	résoudront

futur antérieur

j'	aurai	résolu
tu	auras	résolu
il/elle	aura	résolu
nous	aurons	résolu
vous	aurez	résolu
ils/elles	auront	résolu

passé simple

je	résolus
tu	résolus
il/elle	résolut
nous	résolûmes
vous	résolûtes
ils/elles	résolurent

passé antérieur

j'	eus	résolu
tu	eus	résolu
il/elle	eut	résolu
nous	eûmes	résolu
vous	eûtes	résolu
ils/elles	eurent	résolu

Subjonctif

présent

que	je	résolve
que	tu	résolves
qu'	il/elle	résolve
que	nous	résolvions
que	vous	résolviez
qu'	ils/elles	résolvent

imparfait

que	je	résolusse
que	tu	résolusses
qu'	il/elle	résolût
que	nous	résolussions
que	vous	résolussiez
qu'	ils/elles	résolussent

passé

que	j'	aie	résolu
que	tu	aies	résolu
qu'	il/elle	ait	résolu
que	nous	ayons	résolu
que	vous	ayez	résolu
qu'	ils/elles	aient	résolu

plus-que-parfait

que	j'	eusse	résolu
que	tu	eusses	résolu
qu'	il/elle	eût	résolu
que	nous	eussions	résolu
que	vous	eussiez	résolu
qu'	ils/elles	eussent	résolu

Conditionnel

présent

je	résoudrais
tu	résoudrais
il/elle	résoudrait
nous	résoudrions
vous	résoudriez
ils/elles	résoudraient

passé

j'	aurais	résolu
tu	aurais	résolu
il/elle	aurait	résolu
nous	aurions	résolu
vous	auriez	résolu
ils/elles	auraient	résolu

Impératif

présent

| résous |
| résolvons |
| résolvez |

passé

aie	résolu
ayons	résolu
ayez	résolu

- Seule différence avec *résoudre*, le participe passé : *absous* (*absolu* est un adjectif ou un nom).
- Le passé simple et le subjonctif imparfait sont très rarement employés.
- *Dissoudre* suit exactement ce modèle : ne pas confondre le participe passé *dissous/oute* avec l'adjectif *dissolu/e* (= dépravé, corrompu).
- L'orthographe rectifiée autorise d'écrire *absout* (participe passé masculin singulier).

Infinitif

présent
absoudre

passé
avoir absous

Indicatif

présent

j'	absous
tu	absous
il/elle	absout
nous	absolvons
vous	absolvez
ils/elles	absolvent

passé composé

j'	ai	absous
tu	as	absous
il/elle	a	absous
nous	avons	absous
vous	avez	absous
ils/elles	ont	absous

imparfait

j'	absolvais
tu	absolvais
il/elle	absolvait
nous	absolvions
vous	absolviez
ils/elles	absolvaient

plus-que-parfait

j'	avais	absous
tu	avais	absous
il/elle	avait	absous
nous	avions	absous
vous	aviez	absous
ils/elles	avaient	absous

futur simple

j'	absoudrai
tu	absoudras
il/elle	absoudra
nous	absoudrons
vous	absoudrez
ils/elles	absoudront

futur antérieur

j'	aurai	absous
tu	auras	absous
il/elle	aura	absous
nous	aurons	absous
vous	aurez	absous
ils/elles	auront	absous

passé simple

j'	absolus
tu	absolus
il/elle	absolut
nous	absolûmes
vous	absolûtes
ils/elles	absolurent

passé antérieur

j'	eus	absous
tu	eus	absous
il/elle	eut	absous
nous	eûmes	absous
vous	eûtes	absous
ils/elles	eurent	absous

Conditionnel

présent

j'	absoudrais
tu	absoudrais
il/elle	absoudrait
nous	absoudrions
vous	absoudriez
ils/elles	absoudraient

passé

j'	aurais	absous
tu	aurais	absous
il/elle	aurait	absous
nous	aurions	absous
vous	auriez	absous
ils/elles	auraient	absous

Participe

présent
absolvant

passé
absous/oute, ous/outes
ayant absous

Subjonctif

présent

que	j'	absolve
que	tu	absolves
qu'	il/elle	absolve
que	nous	absolvions
que	vous	absolviez
qu'	ils/elles	absolvent

imparfait

que	j'	absolusse
que	tu	absolusses
qu'	il/elle	absolût
que	nous	absolussions
que	vous	absolussiez
qu'	ils/elles	absolussent

passé

que	j'	aie	absous
que	tu	aies	absous
qu'	il/elle	ait	absous
que	nous	ayons	absous
que	vous	ayez	absous
qu'	ils/elles	aient	absous

plus-que-parfait

que	j'	eusse	absous
que	tu	eusses	absous
qu'	il/elle	eût	absous
que	nous	eussions	absous
que	vous	eussiez	absous
qu'	ils/elles	eussent	absous

Impératif

présent
absous
absolvons
absolvez

passé

aie	absous
ayons	absous
ayez	absous

■ La 3e personne du singulier de l'indicatif présent reproduit la base sans changement (comme *rendre*, tableau 65).

■ *Émoudre*, peu usité et *remoudre*, dérivés de *moudre*, suivent ce modèle.

Infinitif

présent	passé
moudre	avoir moulu

Participe

présent	passé
moulant	moulu/ue, us/ues
	ayant moulu

Indicatif

présent

je	mouds
tu	mouds
il/elle	moud
nous	moulons
vous	moulez
ils/elles	moulent

passé composé

j'	ai	moulu
tu	as	moulu
il/elle	a	moulu
nous	avons	moulu
vous	avez	moulu
ils/elles	ont	moulu

imparfait

je	moulais
tu	moulais
il/elle	moulait
nous	moulions
vous	mouliez
ils/elles	moulaient

plus-que-parfait

j'	avais	moulu
tu	avais	moulu
il/elle	avait	moulu
nous	avions	moulu
vous	aviez	moulu
ils/elles	avaient	moulu

futur simple

je	moudrai
tu	moudras
il/elle	moudra
nous	moudrons
vous	moudrez
ils/elles	moudront

futur antérieur

j'	aurai	moulu
tu	auras	moulu
il/elle	aura	moulu
nous	aurons	moulu
vous	aurez	moulu
ils/elles	auront	moulu

passé simple

je	moulus
tu	moulus
il/elle	moulut
nous	moulûmes
vous	moulûtes
ils/elles	moulurent

passé antérieur

j'	eus	moulu
tu	eus	moulu
il/elle	eut	moulu
nous	eûmes	moulu
vous	eûtes	moulu
ils/elles	eurent	moulu

Subjonctif

présent

que	je	moule
que	tu	moules
qu'	il/elle	moule
que	nous	moulions
que	vous	mouliez
qu'	ils/elles	moulent

imparfait

que	je	moulusse
que	tu	moulusses
qu'	il/elle	moulût
que	nous	moulussions
que	vous	moulussiez
qu'	ils/elles	moulussent

passé

que	j'	aie	moulu
que	tu	aies	moulu
qu'	il/elle	ait	moulu
que	nous	ayons	moulu
que	vous	ayez	moulu
qu'	ils/elles	aient	moulu

plus-que-parfait

que	j'	eusse	moulu
que	tu	eusses	moulu
qu'	il/elle	eût	moulu
que	nous	eussions	moulu
que	vous	eussiez	moulu
qu'	ils/elles	eussent	moulu

Conditionnel

présent

je	moudrais
tu	moudrais
il/elle	moudrait
nous	moudrions
vous	moudriez
ils/elles	moudraient

passé

j'	aurais	moulu
tu	aurais	moulu
il/elle	aurait	moulu
nous	aurions	moulu
vous	auriez	moulu
ils/elles	auraient	moulu

Impératif

présent

| mouds |
| moulons |
| moulez |

passé

aie	moulu
ayons	moulu
ayez	moulu

■ La 3e personne du singulier de l'indicatif présent reproduit la base sans changement (comme *rendre*, tableau 65, et *moudre*, tableau 96).

■ *Découdre* et *recoudre*, dérivés de *coudre*, suivent ce modèle.

Infinitif

présent
coudre

passé
avoir cousu

Participe

présent
cousant

passé
cousu/ue, us/ues
ayant cousu

Indicatif

présent

je	couds
tu	couds
il/elle	coud
nous	cousons
vous	cousez
ils/elles	cousent

passé composé

j'	ai	cousu
tu	as	cousu
il/elle	a	cousu
nous	avons	cousu
vous	avez	cousu
ils/elles	ont	cousu

imparfait

je	cousais
tu	cousais
il/elle	cousait
nous	cousions
vous	cousiez
ils/elles	cousaient

plus-que-parfait

j'	avais	cousu
tu	avais	cousu
il/elle	avait	cousu
nous	avions	cousu
vous	aviez	cousu
ils/elles	avaient	cousu

futur simple

je	coudrai
tu	coudras
il/elle	coudra
nous	coudrons
vous	coudrez
ils/elles	coudront

futur antérieur

j'	aurai	cousu
tu	auras	cousu
il/elle	aura	cousu
nous	aurons	cousu
vous	aurez	cousu
ils/elles	auront	cousu

passé simple

je	cousis
tu	cousis
il/elle	cousit
nous	cousîmes
vous	cousîtes
ils/elles	cousirent

passé antérieur

j'	eus	cousu
tu	eus	cousu
il/elle	eut	cousu
nous	eûmes	cousu
vous	eûtes	cousu
ils/elles	eurent	cousu

Subjonctif

présent

que	je	couse
que	tu	couses
qu'	il/elle	couse
que	nous	cousions
que	vous	cousiez
qu'	ils/elles	cousent

imparfait

que	je	cousisse
que	tu	cousisses
qu'	il/elle	cousît
que	nous	cousissions
que	vous	cousissiez
qu'	ils/elles	cousissent

passé

que	j'	aie	cousu
que	tu	aies	cousu
qu'	il/elle	ait	cousu
que	nous	ayons	cousu
que	vous	ayez	cousu
qu'	ils/elles	aient	cousu

plus-que-parfait

que	j'	eusse	cousu
que	tu	eusses	cousu
qu'	il/elle	eût	cousu
que	nous	eussions	cousu
que	vous	eussiez	cousu
qu'	ils/elles	eussent	cousu

Conditionnel

présent

je	coudrais
tu	coudrais
il/elle	coudrait
nous	coudrions
vous	coudriez
ils/elles	coudraient

passé

j'	aurais	cousu
tu	aurais	cousu
il/elle	aurait	cousu
nous	aurions	cousu
vous	auriez	cousu
ils/elles	auraient	cousu

Impératif

présent

| couds |
| cousons |
| cousez |

passé

aie	cousu
ayons	cousu
ayez	cousu

161

■ Attention : accent circonflexe à la 3e personne du singulier de l'indicatif présent.

■ Verbe défectif, peu employé (souvent remplacé par *fermer*).

■ Les verbes dérivés de *clore* sont tous défectifs et peu employés (voir *enclore*, tableau 99).

Infinitif

présent	passé
clore	avoir clos

Participe

présent	passé
closant	clos/close, clos/closes
	ayant clos

Indicatif

présent

je	clos
tu	clos
il/elle	clôt
nous	closons
vous	closez
ils/elles	closent

passé composé

j'	ai	clos
tu	as	clos
il/elle	a	clos
nous	avons	clos
vous	avez	clos
ils/elles	ont	clos

imparfait

inusité

plus-que-parfait

j'	avais	clos
tu	avais	clos
il/elle	avait	clos
nous	avions	clos
vous	aviez	clos
ils/elles	avaient	clos

futur simple

je	clorai
tu	cloras
il/elle	clora
nous	clorons
vous	clorez
ils/elles	cloront

futur antérieur

j'	aurai	clos
tu	auras	clos
il/elle	aura	clos
nous	aurons	clos
vous	aurez	clos
ils/elles	auront	clos

passé simple

inusité

passé antérieur

j'	eus	clos
tu	eus	clos
il/elle	eut	clos
nous	eûmes	clos
vous	eûtes	clos
ils/elles	eurent	clos

Subjonctif

présent

que	je	close
que	tu	closes
qu'	il/elle	close
que	nous	closions
que	vous	closiez
qu'	ils/elles	closent

imparfait

inusité

passé

que	j'	aie	clos
que	tu	aies	clos
qu'	il/elle	ait	clos
que	nous	ayons	clos
que	vous	ayez	clos
qu'	ils/elles	aient	clos

plus-que-parfait

que	j'	eusse	clos
que	tu	eusses	clos
qu'	il/elle	eût	clos
que	nous	eussions	clos
que	vous	eussiez	clos
qu'	ils/elles	eussent	clos

Conditionnel

présent

je	clorais
tu	clorais
il/elle	clorait
nous	clorions
vous	cloriez
ils/elles	cloraient

passé

j'	aurais	clos
tu	aurais	clos
il/elle	aurait	clos
nous	aurions	clos
vous	auriez	clos
ils/elles	auraient	clos

Impératif

présent

clos

passé

aie	clos
ayons	clos
ayez	clos

- Verbe défectif, peu employé.
- Pas d'accent circonflexe à la 3ᵉ personne du singulier de l'indicatif présent.
- Les autres dérivés de *clore* suivent ce modèle. Mais *éclore* n'est guère usité qu'aux 3ᵉˢ pers. de l'ind. prés. et à l'infinitif, *déclore* et *forclore* n'existent plus qu'au part. passé et à l'infinitif.

Infinitif

présent	passé
enclore	avoir enclos

Participe

présent	passé
inusité	enclos/ose, enclos/oses
	ayant enclos

Indicatif

présent

j'	enclos
tu	enclos
il/elle	enclot
inusité	

passé composé

j'	ai	enclos
tu	as	enclos
il/elle	a	enclos
nous	avons	enclos
vous	avez	enclos
ils/elles	ont	enclos

imparfait

inusité

plus-que-parfait

j'	avais	enclos
tu	avais	enclos
il/elle	avait	enclos
nous	avions	enclos
vous	aviez	enclos
ils/elles	avaient	enclos

futur simple

j'	enclorai
tu	encloras
il/elle	enclora
nous	enclorons
vous	enclorez
ils/elles	encloront

futur antérieur

j'	aurai	enclos
tu	auras	enclos
il/elle	aura	enclos
nous	aurons	enclos
vous	aurez	enclos
ils/elles	auront	enclos

passé simple

inusité

passé antérieur

j'	eus	enclos
tu	eus	enclos
il/elle	eut	enclos
nous	eûmes	enclos
vous	eûtes	enclos
ils/elles	eurent	enclos

Subjonctif

présent

que	j'	enclose
que	tu	encloses
qu'	il/elle	enclose
que	nous	enclosions
que	vous	enclosiez
qu'	ils/elles	enclosent

imparfait

inusité

passé

que	j'	aie	enclos
que	tu	aies	enclos
qu'	il/elle	ait	enclos
que	nous	ayons	enclos
que	vous	ayez	enclos
qu'	ils/elles	aient	enclos

plus-que-parfait

que	j'	eusse	enclos
que	tu	eusses	enclos
qu'	il/elle	eût	enclos
que	nous	eussions	enclos
que	vous	eussiez	enclos
qu'	ils/elles	eussent	enclos

Conditionnel

présent

j'	enclorais
tu	enclorais
il/elle	enclorait
nous	enclorions
vous	encloriez
ils/elles	encloraient

passé

j'	aurais	enclos
tu	aurais	enclos
il/elle	aurait	enclos
nous	aurions	enclos
vous	auriez	enclos
ils/elles	auraient	enclos

Impératif

présent	passé
inusité	*inusité*

163

- Accent circonflexe sur le *-i-* de la base devant *-t-*.
- Passé simple et temps composés peu usités.
- Verbe pronominal, qui construit donc ses temps composés avec *être*.
- *Paître*, d'où dérive *repaître*, n'a pas de participe passé dans la langue courante, donc pas de temps composés. Il n'existe ni au passé simple ni au subjonctif imparfait.
- L'orthographe rectifiée autorise la suppression de l'accent circonflexe chaque fois que celui-ci n'est pas discriminant : *il se repait, il se repaitra.*

Infinitif

présent	passé
se repaître	s'être repu/ue, us/ues

Participe

présent	passé
se repaissant	repu/ue, us/ues
	s'étant repu/ue, us/ues

Indicatif

présent

je	me	repais
tu	te	repais
il/elle	se	repaît
nous	nous	repaissons
vous	vous	repaissez
ils/elles	se	repaissent

passé composé

je	me	suis	repu(e)
tu	t'	es	repu(e)
il/elle	s'	est	repu(e)
nous	nous	sommes	repu(e)s
vous	vous	êtes	repu(e)s
ils/elles	se	sont	repu(e)s

imparfait

je	me	repaissais
tu	te	repaissais
il/elle	se	repaissait
nous	nous	repaissions
vous	vous	repaissiez
ils/elles	se	repaissaient

plus-que-parfait

je	m'	étais	repu(e)
tu	t'	étais	repu(e)
il/elle	s'	était	repu(e)
nous	nous	étions	repu(e)s
vous	vous	étiez	repu(e)s
ils/elles	s'	étaient	repu(e)s

futur simple

je	me	repaîtrai
tu	te	repaîtras
il/elle	se	repaîtra
nous	nous	repaîtrons
vous	vous	repaîtrez
ils/elles	se	repaîtront

futur antérieur

je	me	serai	repu(e)
tu	te	seras	repu(e)
il/elle	se	sera	repu(e)
nous	nous	serons	repu(e)s
vous	vous	serez	repu(e)s
ils/elles	se	seront	repu(e)s

passé simple

je	me	repus
tu	te	repus
il/elle	se	reput
nous	nous	repûmes
vous	vous	repûtes
ils/elles	se	repurent

passé antérieur

je	me	fus	repu(e)
tu	te	fus	repu(e)
il/elle	se	fut	repu(e)
nous	nous	fûmes	repu(e)s
vous	vous	fûtes	repu(e)s
ils/elles	se	furent	repu(e)s

Subjonctif

présent

que je	me	repaisse
que tu	te	repaisses
qu' il/elle	se	repaisse
que nous	nous	repaissions
que vous	vous	repaissiez
qu' ils/elles	se	repaissent

imparfait

que je	me	repusse
que tu	te	repusses
qu' il/elle	se	repût
que nous	nous	repussions
que vous	vous	repussiez
qu' ils/elles	se	repussent

passé

que je	me	sois	repu(e)
que tu	te	sois	repu(e)
qu' il/elle	se	soit	repu(e)
que nous	nous	soyons	repu(e)s
que vous	vous	soyez	repu(e)s
qu' ils/elles	se	soient	repu(e)s

plus-que-parfait

que je	me	fusse	repu(e)
que tu	te	fusses	repu(e)
qu' il/elle	se	fût	repu(e)
que nous	nous	fussions	repu(e)s
que vous	vous	fussiez	repu(e)s
qu' ils/elles	se	fussent	repu(e)s

Conditionnel

présent

je	me	repaîtrais
tu	te	repaîtrais
il/elle	se	repaîtrait
nous	nous	repaîtrions
vous	vous	repaîtriez
ils/elles	se	repaîtraient

passé

je	me	serais	repu(e)
tu	te	serais	repu(e)
il/elle	se	serait	repu(e)
nous	nous	serions	repu(e)s
vous	vous	seriez	repu(e)s
ils/elles	se	seraient	repu(e)s

Impératif

présent	passé
repais-toi	*inusité*
repaissons-nous	
repaissez-vous	

■ Verbe défectif, remplacé aux formes inusitées par la tournure *faire frire*.

Infinitif

présent
frire

passé
avoir frit

Participe

présent
inusité

passé
frit/frite, frits/frites
ayant frit

Indicatif

présent

je	fris
tu	fris
il/elle	frit

passé composé

j'	ai	frit
tu	as	frit
il/elle	a	frit
nous	avons	frit
vous	avez	frit
ils/elles	ont	frit

imparfait
inusité

plus-que-parfait

j'	avais	frit
tu	avais	frit
il/elle	avait	frit
nous	avions	frit
vous	aviez	frit
ils/elles	avaient	frit

futur simple

je	frirai
tu	friras
il/elle	frira
nous	frirons
vous	frirez
ils/elles	friront

futur antérieur

j'	aurai	frit
tu	auras	frit
il/elle	aura	frit
nous	aurons	frit
vous	aurez	frit
ils/elles	auront	frit

passé simple
inusité

passé antérieur

j'	eus	frit
tu	eus	frit
il/elle	eut	frit
nous	eûmes	frit
vous	eûtes	frit
ils/elles	eurent	frit

Subjonctif

présent
inusité

imparfait
inusité

passé

que	j'	aie	frit
que	tu	aies	frit
qu'	il/elle	ait	frit
que	nous	ayons	frit
que	vous	ayez	frit
qu'	ils/elles	aient	frit

plus-que-parfait

que	j'	eusse	frit
que	tu	eusses	frit
qu'	il/elle	eût	frit
que	nous	eussions	frit
que	vous	eussiez	frit
qu'	ils/elles	eussent	frit

Conditionnel

présent

je	frirais
tu	frirais
il/elle	frirait
nous	fririons
vous	fririez
ils/elles	friraient

passé

j'	aurais	frit
tu	aurais	frit
il/elle	aurait	frit
nous	aurions	frit
vous	auriez	frit
ils/elles	auraient	frit

Impératif

présent
fris

passé

aie	frit
ayons	frit
ayez	frit

Abréviations utilisées	
T	emploi transitif direct (avec un C.O.D.)
Ti	emploi transitif indirect (avec un C.O.I.)
I	emploi intransitif (avec un C.C. ou sans complément)
Pr	verbe souvent conjugué à la voix pronominale (à cette voix, toujours avec *être* aux temps composés)
U	verbe unipersonnel (= impersonnel), n'existe qu'à la 3ᵉ personne du singulier
Déf	verbe défectif (= dont certaines formes sont inusitées)
p.p.inv.	verbe dont le participe passé est toujours invariable
p.p.inv.	participe passé invariable dans l'emploi indiqué
+ être	verbe actif qui forme ses temps composés avec l'auxiliaire *être*
+ être ou **avoir**	verbe actif qui peut former ses temps composés avec l'auxiliaire *être* ou avec l'auxiliaire *avoir*, selon la nuance de sens.

Les autres abréviations sont les abréviations courantes, utilisées dans le cours de l'ouvrage *(voir page de sommaire)*.

RÉPERTOIRE DES VERBES

MODE D'EMPLOI

Ce répertoire permet de retrouver comment se conjuguent et se construisent tous les verbes courants de la langue.

Les numéros renvoient aux tableaux de conjugaison.

■ Pour chaque verbe, sont indiqués :

▶ le ou les modes de construction (transitive directe ou indirecte, intransitive) ;

▶ les prépositions généralement utilisées pour introduire le complément (C.O.I., C.O.S. ou C.C.), mentionnées entre parenthèses ;

▶ l'emploi pronominal éventuel (à cette voix, l'auxiliaire de conjugaison est toujours **être**) ;

▶ l'auxiliaire qui permet de former les temps composés à la voix active quand ce n'est pas **avoir** qui est obligatoire ;

▶ les particularités orthographiques ;

▶ les particularités d'emploi, quand elles ne sont pas indiquées au verbe modèle.

■ Les verbes essentiellement pronominaux (qui n'existent pas à la voix active) sont suivis de **-se-** ou **-s'-**.

■ Les verbes propres à la francophonie sont signalés par l'indication du pays ou de la région où ils sont employés : Afrique, Belgique, Québec, Suisse.

■ Les verbes présentés en tableaux dans l'ouvrage apparaissent en couleur. Les verbes appartenant au vocabulaire courant apparaissent en gras (liste fondée sur le *Dictionnaire fondamental* de G. Gougenheim, sur l'*Échelle Dubois-Buyse* de F. Ters, G. Mayer et D. Reichenbach, ainsi que sur le *Dictionnaire du vocabulaire essentiel* de G. Matoré).

LA NOUVELLE ORTHOGRAPHE

En 1990, une série de rectifications de l'orthographe ont été adoptées par le Conseil supérieur de la langue française et approuvées par l'Académie française. Il ne s'agit pas d'une réforme du système de l'orthographe française mais de modifications relativement ponctuelles visant à réduire certaines anomalies et incohérences orthographiques.

L'emploi de la nouvelle orthographe n'est pas imposé, mais il est recommandé. L'Académie a précisé que le document présentant les modifications d'orthographe « ne contient aucune disposition de caractère obligatoire » et qu'« aucune des deux graphies ne peut être tenue pour fautive ».

Ces rectifications orthographiques ont vocation à être enseignées et entrent progressivement dans les ouvrages de référence (dictionnaires, grammaires…). Elles sont notées dans les tableaux de conjugaison et ce répertoire.

Les nouvelles règles

● Les mots composés

■ Un certain nombre de mots remplaceront le trait d'union par la **soudure** : *portemonnaie, portefeuille, piqueniquer, s'entredéchirer.*

■ Les mots composés du type *pèse-lettre* suivront au **pluriel** la règle des mots simples : *des pèse-lettres, des coupe-papiers, des tire-clous,* en vue de rationaliser le pluriel des mots composés, en ne plaçant *s* que sur le deuxième élément.

● Le trait d'union

Il sera généralisé comme marque d'unité grammaticale dans les numéraux complexes : *Il possède sept-cent-mille-trois-cent-vingt-et-un euros.*

● Le tréma

On **place le tréma** sur la voyelle qui doit être prononcée : *aigüe, argüer, gageüre.*

● La transcription des mots étrangers

Les mots empruntés suivront les règles des mots français pour le pluriel et l'accentuation.

■ Les **accents** se mettent comme en français : *allégretto, sombréro…*

■ Les mots et adjectifs d'origine étrangère forment leur **pluriel** avec *s* : *des maximums, des médias…*

■ Les **mots composés** empruntés s'écrivent soudés : *apriori, statuquo, vadémécum, baseball…*

● L'accent

■ On mettra l'**accent aigu** sur les *e* qui sont prononcés *é*, notamment dans les mots empruntés : *braséro, révolver.*

■ On conjuguera avec un **accent grave** pour marquer le son **è**, notamment le futur et le conditionnel des verbes comme **céder** *(il cèdera, il cèderait)* et des verbes en **-eler**, comme **amonceler** *(il amoncèlera, il amoncèlerait)*, et **-eter**, comme **étiqueter** *(il étiquètera, il étiquèterait)*, **sauf appeler** et **jeter**.

■ L'**accent circonflexe** ne sera plus obligatoire sur les lettres **i** et **u** : *il plait ; trainer ; voute, vouter*.

Exceptions : l'accent circonflexe est maintenu dans les **terminaisons verbales du passé simple** *(nous vîmes)* et du **subjonctif** *(qu'il fût, qu'il partît)*, dans les formes de *croitre* qui sinon se confondraient avec celles de *croire*, ainsi que dans quelques mots *(mûr, sûr)*.

● **Le participe passé des verbes pronominaux**

Il sera invariable dans le cas de *laisser* suivi d'un infinitif : *Elle s'est laissé mourir. Elle s'est laissé séduire*.

● **Diverses anomalies**

■ Les séries désaccordées verront leurs graphies rendues conformes aux règles de l'écriture du français : *douçâtre* au lieu de *douceâtre* ; *absout, absoute* au lieu de *absous, absoute* ; de même pour *dissout, dissoute* ; *asseoir*, qui perd le **e** dans sa conjugaison, pourra s'écrire *assoir*.

■ On écrit comme *poulailler, volailler* les noms qu'on écrivait **-illier** : *joailler, quincailler, serpillère*.

■ Pour régulariser la terminaison, on écrit avec un seul **l** les mots en **-ole** : *barcarole, corole, fumerole, girole, guibole, mariole*.

Exceptions : *folle, molle, colle*.

■ On vise la cohérence d'une série en vue d'uniformiser l'écriture des familles de mots : *boursouffler* prendra deux **f** comme *souffler* ; *charriot* prendra deux **r** comme *charrette* ; *cahutte*, deux **t**, comme *hutte* ; *combattif, combattivité*, deux **t** comme *battre* ; *persiffler, persifflage, persiffleur*, deux **f** comme *siffler*…

■ On écrira : *relai (relayer)* sans **s**, comme *balai (balayer)* et *essai (essayer)*.

■ *Dessiller* s'écrira *déciller* pour corriger une erreur d'étymologie *(cil)* ; *vantail* s'écrira *ventail* pour corriger une erreur étymologique *(vent)*.

■ On écrira : *imbécilité* avec un seul **l** comme *imbécile* ; *nénufar* au lieu de *nénuphar* ; *ognon* au lieu de *oignon* (le **i** diacritique ne servant ici qu'à marquer le **n** mouillé) ; *saccarine* au lieu de *saccharine*.

A

RÉPERTOIRE DES VERBES

175

177

RÉPERTOIRE DES VERBES

179

RÉPERTOIRE DES VERBES

183

damer **T** ... 12
damner **T / Pr** ... 12
dandiner -se- **+ être** ... 12
danser I, p.p.inv. / **T** ... 12
dansoter ou dansotter **I / p.p.inv.** ... 12
darder **T** ... 12
dater T / I, p.p.inv. ... 12
dauber **T / I**, p.p.inv. ... 12
dealer **T / I**, p.p.inv. ... 12
déambuler **I / p.p.inv.** ... 12
débâcher **T** ... 12
débâcler **T / I**, p.p.inv. ... 12
débagouler **I**, p.p.inv. / **T** ... 12
débâillonner **T** ... 12
déballer **T** ... 12
déballonner -se- **+ être** ... 12
débander **T / Pr** ... 12
débaptiser **T** ... 12
débarbouiller T / Pr ... 12
débarder **T** ... 12
débarquer T / I, p.p.inv. ... 15
débarrasser T / Pr (de) ... 12
débarrer **T** ... 12
débâter **T** ... 12
débâtir **T** ... 34
débattre T / Ti (de), p.p.inv. / **Pr** ... 73
débaucher **T** ... 12
débecter, débecqueter
  ou débéqueter ... 12, 26 ou 27
débiliter **T** ... 12
débillarder **T** ... 12
débiner **T / Pr** ... 12
débiter T ... 12
déblatérer **Ti** (contre) / **p.p.inv.** ... 19
déblayer **T** ... 28 ou 29
débloquer **T / I**, p.p.inv. ... 15
débobiner **T** ... 12
déboguer **T** / -gu- partout ... 15
déboiser **T / Pr** ... 12
déboîter ou déboiter **T / I**, p.p.inv. / **Pr** ... 12
débonder **T / Pr** ... 12
déborder I, p.p.inv. / **T / Ti** (de), p.p.inv. / **Pr** ... 12
débosseler **T** ... 22
débotter **T** ... 12
déboucher T / I, p.p.inv. ... 12
déboucler **T** ... 12
débouler **I**, p.p.inv. / **T** ... 12
déboulonner **T** ... 12
débouquer **I / p.p.inv.** ... 15
débourber **T** ... 12
débourrer **T / I**, p.p.inv. ... 12

débourser **T** ... 12
déboussoler **T** ... 12
débouter **T** ... 12
déboutonner T / Pr ... 12
débrailler -se- **+ être** ... 12
débrancher **T** ... 12
débraser **T** ... 12
débrayer T / I, p.p.inv. ... 28 ou 29
débrider **T** ... 12
débriefer **T** ... 12
débrocher **T** ... 12
débrouiller T / Pr ... 12
débroussailler **T** ... 12
débrousser **T / Afrique** ... 12
débucher **I**, p.p.inv. / **T** ... 12
débudgétiser **T** ... 12
débureaucratiser **T** ... 12
débusquer **T** ... 15
débuter I, p.p.inv. / **T** ... 12
décacheter **T** ... 26
décadenasser **T** ... 12
décaisser **T** ... 12
décalaminer **T** ... 12
décalcifier **T / Pr** ... 14
décaler **T / Pr** ... 12
décalotter **T** ... 12
décalquer **T** ... 15
décamper **I / p.p.inv.** ... 12
décaniller **I / p.p.inv.** ... 12
décanter **T / Pr** ... 12
décapeler **T** ... 22
décaper **T** ... 12
décapitaliser **I / p.p.inv.** ... 12
décapiter **T** ... 12
décapoter **T** ... 12
décapsuler **T** ... 12
décapuchonner **T** ... 12
décarburer **T** ... 12
décarcasser -se- **+ être** ... 12
décatir **T / Pr** ... 34
décavaillonner **T** ... 12
décaver **T** ... 12
décéder I / + être ... 19
déceler **T** ... 24
décélérer **I / p.p.inv.** ... 19
décentraliser **T** ... 12
décentrer **T** ... 12
décercler **T** ... 12
décérébrer **T** ... 19
décerner **T** ... 12
décerveler **T** ... 22

185

187

E

195

RÉPERTOIRE DES VERBES

I

J, K

L

M

RÉPERTOIRE DES VERBES

209

O

RÉPERTOIRE DES VERBES

215

RÉPERTOIRE DES VERBES

217

RÉPERTOIRE DES VERBES

RÉPERTOIRE DES VERBES

223

225

227

T

229

RÉPERTOIRE DES VERBES